mot de passe...

1

Le Pavillon noir

Le curé de la vieille église de Dunkerque se
réveilla à cinq heures, le 12 mai 18…, pour
dire, suivant son habitude, la première basse
messe à laquelle assistaient quelques pieux pêcheurs.

Vêtu de ses habits sacerdotaux, il allait se
rendre à l'autel, quand un homme entra dans la
sacristie, joyeux et effaré à la fois. C'était un
marin d'une soixantaine d'années, mais encore
vigoureux et solide, avec une bonne et honnête
figure.

« Monsieur le curé, s'écria-t-il, halte-là ! s'il
vous plaît.

— Qu'est-ce qui vous prend donc si matin, Jean Cornbutte ? répliqua le curé.

— Ce qui me prend ?... Une fameuse envie de vous sauter au cou, tout de même !

— Eh bien, après la messe, à laquelle vous allez assister...

— La messe ! répondit en riant le vieux marin. Vous croyez que vous allez dire votre messe maintenant, et que je vous laisserai faire ?

— Et pourquoi ne dirais-je pas ma messe ? demanda le curé. Expliquez-vous ! Le troisième son a tinté...

— Qu'il ait tinté ou non, répliqua Jean Cornbutte, il en tintera bien d'autres aujour-d'hui, monsieur le curé, car vous m'avez pro-mis de bénir de vos propres mains le mariage de mon fils Louis et de ma nièce Marie !

— Il est donc arrivé ? s'écria joyeusement le curé.

— Il ne s'en faut guère, reprit Cornbutte en se frottant les mains. La vigie nous a signalé, au lever du soleil, notre brick, que vous avez baptisé vous-même du beau nom de *La Jeune-Hardie* !

— Je vous en félicite du fond du cœur, mon vieux Cornbutte, dit le curé en se dépouillant de la chasuble et de l'étole. Je connais nos conventions. Le vicaire va me remplacer, et je me tiendrai à votre disposition pour l'arrivée de votre cher fils.

— Et je vous promets qu'il ne vous fera pas jeûner trop longtemps ! répondit le marin. Les bans ont déjà été publiés par vous-même, et vous n'aurez plus qu'à l'absoudre des péchés qu'on peut commettre entre le ciel et l'eau, dans les mers du Nord. Une fameuse idée que j'ai eue là, de vouloir que la noce se fît le jour même de l'arrivée, et que mon fils Louis ne quittât son brick que pour se rendre à l'église !

« — Allez donc tout disposer, Cornbutte.

— J'y cours, monsieur le curé. A bientôt ! »

Le marin revint à grands pas à sa maison, située sur le quai du port marchand, et d'où l'on apercevait la mer du Nord, ce dont il se montrait si fier.

Jean Cornbutte avait amassé quelque bien dans son état. Après avoir longtemps commandé les navires d'un riche armateur du Havre, il se fixa dans sa ville natale, où il fit construire, pour son propre compte, le brick *La Jeune-Hardie*. Plusieurs voyages dans le Nord réussirent, et le navire trouva toujours à vendre à bon prix ses chargements de bois, de fer et de goudron. Jean Cornbutte en céda alors le commandement à son fils Louis, brave marin de trente ans, qui, au dire de tous les capitaines caboteurs, était bien le plus vaillant matelot de Dunkerque.

Louis Cornbutte était parti, ayant un grand attachement pour Marie, la nièce de son père, qui trouvait bien longs les jours de l'absence. Marie avait vingt ans à peine. C'était une belle Flamande, avec quelques gouttes de sang hollandais dans les veines. Sa mère l'avait confiée, en mourant, à son frère Jean Cornbutte. Aussi, ce brave marin l'aimait comme sa propre fille, et voyait dans l'union projetée une source de vrai et durable bonheur.

L'arrivée du brick, signalé au large des passes, terminait une importante opération commerciale dont Jean Cornbutte attendait gros profit. *La Jeune-Hardie*, partie depuis trois mois, revenait en dernier lieu de Bodoë, sur la côte occidentale de la Norvège, et elle avait opéré rapidement son voyage.

En rentrant au logis, Jean Cornbutte trouva toute la maison sur pied. Marie, le front radieux, revêtait ses habillements de mariée.

« Pourvu que le brick n'arrive pas avant nous ! disait-elle.

— Hâte-toi, petite, répondit Jean Cornbutte, car les vents viennent du nord, et *La Jeune-Hardie* file bien, quand elle file grand largue !

— Nos amis sont-ils prévenus, mon oncle ? demanda Marie.

— Ils sont prévenus !

— Et le notaire, et le curé ?

— Sois tranquille ! Il n'y aura que toi à nous faire attendre ! »

En ce moment entra le compère Clerbaut.

« Eh bien ! mon vieux Cornbutte, s'écria-t-il, voilà de la chance ! Ton navire arrive précisément à l'époque où le gouvernement vient de mettre en adjudication de grandes fournitures de bois pour la marine.

— Qu'est-ce que ça me fait ? répondit Jean Cornbutte. Il s'agit bien du gouvernement !

— Sans doute, monsieur Clerbaut, dit Marie, il n'y a qu'une chose qui nous occupe : c'est le retour de Louis.

— Je ne disconviens pas que…, répondit le compère. Mais enfin ces fournitures…

— Et vous serez de la noce, répliqua Jean Cornbutte, qui interrompit le négociant et lui serra la main de façon à la briser.

— Ces fournitures de bois…

— Et avec tous nos amis de terre et nos amis de mer, Clerbaut. J'ai déjà prévenu mon monde, et j'inviterai tout l'équipage du brick !

— Et nous irons l'attendre sur l'estacade ? demanda Marie.

— Je le crois bien, répondit Jean Cornbutte. Nous défilerons tous deux par deux, violons en tête ! »

Les invités de Jean Cornbutte arrivèrent sans tarder. Bien qu'il fût de grand matin, pas un ne manqua à l'appel. Tous félicitèrent à l'envi le brave marin, qu'ils aimaient. Pendant ce temps, Marie, agenouillée, transformait devant

Dieu ses prières en remerciements. Elle rentra bientôt, belle et parée, dans la salle commune, et elle eut la joue embrassée par toutes les commères, la main vigoureusement serrée par tous les hommes ; puis, Jean Cornbutte donna le signal du départ.

Ce fut un spectacle curieux de voir cette joyeuse troupe prendre le chemin de la mer au lever du soleil. La nouvelle de l'arrivée du brick avait circulé dans le port, et bien des têtes en bonnet de nuit apparurent aux fenêtres et aux portes entrebâillées. De chaque côté arrivait un honnête compliment ou un salut flatteur.

La noce atteignit l'estacade au milieu d'un concert de louanges et de bénédictions. Le temps s'était fait magnifique, et le soleil semblait se mettre de la partie. Un joli vent du nord faisait écumer les lames, et quelques chaloupes de pêcheurs, orientées au plus près pour sortir du port, rayaient la mer de leur rapide sillage entre les estacades.

Les deux jetées de Dunkerque qui prolongent le quai du port s'avancent loin dans la mer. Les gens de la noce occupaient toute la largeur de la jetée du nord, et ils atteignirent bientôt une petite maisonnette située à son extrémité, où veillait le maître du port.

Le brick de Jean Cornbutte était devenu de plus en plus visible. Le vent fraîchissait, et *La Jeune-Hardie* courait grand largue sous ses huniers, sa misaine, sa brigantine, ses perroquets et ses cacatois. La joie devait évidemment régner à bord comme à terre. Jean Cornbutte, une longue-vue à la main, répondait gaillardement aux questions de ses amis.

« Voilà bien mon beau brick ! s'écriait-il, propre et rangé comme s'il appareillait de Dunkerque ! Pas une avarie ! Pas un cordage de moins !

« — Voyez-vous votre fils le capitaine ? lui demandait-on.

— Non, pas encore. Ah ! c'est qu'il est à son affaire !

— Pourquoi ne hisse-t-il pas son pavillon ? demanda Clerbaut.

— Je ne sais guère, mon vieil ami, mais il a une raison sans doute.

— Votre longue-vue, mon oncle, dit Marie en lui arrachant l'instrument des mains, je veux être la première à l'apercevoir !

— Mais c'est mon fils, mademoiselle !

— Voilà trente ans qu'il est votre fils, répondit en riant la jeune fille, et il n'y a que deux ans qu'il est mon fiancé ! »

La Jeune-Hardie était entièrement visible. Déjà l'équipage faisait ses préparatifs de mouillage. Les voiles hautes avaient été carguées. On pouvait reconnaître les matelots qui s'élançaient dans les agrès. Mais ni Marie, ni

Jean Cornbutte n'avaient encore pu saluer de la main le capitaine du brick.

« Ma foi, voici le second, André Vasling ! s'écria Clerbaut.

— Voici Fidèle Misonne, le charpentier, répondit un des assistants.

— Et notre ami Penellan ! » dit un autre, en faisant signe au marin ainsi nommé.

La Jeune-Hardie ne se trouvait plus qu'à trois encablures du port, lorsqu'un pavillon noir monta à la corne de la brigantine… Il y avait deuil à bord !

Un sentiment de terreur courut dans tous les esprits et dans le cœur de la jeune fiancée.

Le brick arrivait tristement au port, et un silence glacial régnait sur son pont. Bientôt il eut dépassé l'extrémité de l'estacade. Marie, Jean Cornbutte et tous les amis se précipitèrent vers le quai qu'il allait accoster, et, en un instant, ils se trouvèrent à bord.

« Mon fils ! » dit Jean Cornbutte, qui ne put articuler que ces mots.

Les marins du brick, la tête découverte, lui montrèrent le pavillon de deuil.

Marie poussa un cri de détresse et tomba dans les bras du vieux Cornbutte.

André Vasling avait ramené *La Jeune-Hardie* ; mais Louis Cornbutte, le fiancé de Marie, n'était plus à son bord.

2

Le Projet
de Jean Cornbutte

Dès que la jeune fille, confiée aux soins de charitables amis, eut quitté le brick, le second, André Vasling, apprit à Jean Cornbutte l'affreux événement qui le privait de revoir son fils, et que le journal de bord rapportait en ces termes :

A la hauteur du Maelström, 26 avril, le navire s'étant mis à la cape par un gros temps et des vents de sud-ouest, aperçut des signaux de détresse que lui faisait une goélette sous le vent. Cette goélette, démâtée de son mât de misaine, courait vers le gouffre, à sec de toiles. Le capitaine Louis Cornbutte, voyant ce navire marcher

à une perte imminente, résolut d'aller à bord.
Malgré les représentations de son équipage, il fit
mettre la chaloupe à la mer, y descendit avec le
matelot Cortrois et Pierre Nouquet le timonier.
L'équipage les suivit des yeux, jusqu'au mo-
ment où ils disparurent au milieu de la brume.
La nuit arriva. La mer devint de plus en plus
mauvaise. La Jeune-Hardie, *attirée par les cou-*
rants qui avoisinent ces parages, risquait d'aller
s'engloutir dans le Maelström. Elle fut obligée
de fuir vent arrière. En vain croisa-t-elle pendant
quelques jours sur le lieu du sinistre : la cha-
loupe du brick, la goélette, le capitaine Louis et
les deux matelots ne reparurent pas. André Vas-
ling assembla alors l'équipage, prit le comman-
dement du navire et fit voile vers Dunkerque.

Jean Cornbutte, après avoir lu ce récit, sec
comme un simple fait de bord, pleura longtemps, et s'il eut quelque consolation, elle vint
de cette pensée que son fils était mort en vou-

lant secourir ses semblables. Puis, le pauvre père quitta ce brick, dont la vue lui faisait mal, et il rentra dans sa maison désolée.

Cette triste nouvelle se répandit aussitôt dans tout Dunkerque. Les nombreux amis du vieux marin vinrent lui apporter leurs vives et sincères condoléances. Puis, les matelots de *La Jeune-Hardie* donnèrent les détails les plus complets sur cet événement, et André Vasling dut raconter à Marie, dans tous ses détails, le dévouement de son fiancé.

Jean Cornbutte réfléchit, après avoir pleuré, et le lendemain même du mouillage, voyant entrer André Vasling chez lui, il lui dit :

« Etes-vous bien sûr, André, que mon fils ait péri ?

— Hélas ! oui, monsieur Jean ! répondit André Vasling.

— Et avez-vous bien fait toutes les recherches voulues pour le retrouver ?

— Toutes, sans contredit, monsieur Cornbutte ! Mais il n'est malheureusement que trop
certain que ses deux matelots et lui ont été engloutis dans le gouffre du Maelström.

— Vous plairait-il, André, de garder le commandement en second du navire ?

— Cela dépendra du capitaine, monsieur
Cornbutte.

— Le capitaine, ce sera moi, André, répondit le vieux marin. Je vais rapidement déchar-
ger mon navire, composer mon équipage et
courir à la recherche de mon fils !

— Votre fils est mort ! répondit André Vasling en insistant.

— C'est possible, André, répliqua vivement
Jean Cornbutte, mais il est possible aussi qu'il
se soit sauvé. Je veux fouiller tous les ports de
la Norvège, où il a pu être poussé, et, quand
j'aurai la certitude de ne plus jamais le revoir,
alors, seulement, je reviendrai mourir ici ! »

André Vasling, comprenant que cette décision était inébranlable, n'insista plus et se retira.

Jean Cornbutte instruisit aussitôt sa nièce de son projet, et il vit briller quelques lueurs d'espérance à travers ses larmes. Il n'était pas encore venu à l'esprit de la jeune fille que la mort de son fiancé pût être problématique ; mais à peine ce nouvel espoir fut-il jeté dans son cœur, qu'elle s'y abandonna sans réserve.

Le vieux marin décida que *La Jeune-Hardie* reprendrait aussitôt la mer. Ce brick, solidement construit, n'avait aucune avarie à réparer. Jean Cornbutte fit publier que s'il plaisait à ses matelots de s'y rembarquer, rien ne serait changé à la composition de l'équipage. Il remplacerait seulement son fils dans le commandement du navire.

Pas un des compagnons de Louis Cornbutte ne manqua à l'appel, et il y avait là de hardis marins, Alain Turquiette, le charpentier Fidèle Misonne, le Breton Penellan, qui remplaçait Pierre Nouquet comme timonier de *La Jeune-Hardie*, et puis Gradlin, Aupic, Gervique, matelots courageux et éprouvés.

Jean Cornbutte proposa de nouveau à André Vasling de reprendre son rang à bord. Le second du brick était un manœuvrier habile, qui avait fait ses preuves en ramenant *La Jeune-Hardie* à bon port. Cependant, on ne sait pour quel motif, André Vasling fit quelques difficultés et demanda à réfléchir.

« Comme vous voudrez, André Vasling, répondit Cornbutte. Souvenez-vous seulement que, si vous acceptez, vous serez le bienvenu parmi nous. »

Jean Cornbutte avait un homme dévoué dans le Breton Penellan, qui fut longtemps son compagnon de voyage. La petite Marie passait autrefois les longues soirées d'hiver dans les bras du

timonier, pendant que celui-ci demeurait à terre. Aussi avait-il conservé pour elle une amitié de père, que la jeune fille lui rendait en amour filial. Penellan pressa de tout son pouvoir l'armement du brick, d'autant plus que, selon lui, André Vasling n'avait peut-être pas fait toutes les recherches possibles pour retrouver les naufragés, bien qu'il fût excusé par la responsabilité qui pesait sur lui comme capitaine.

Huit jours ne s'étaient pas écoulés que *La Jeune-Hardie* se trouvait prête à reprendre la mer. Au lieu de marchandises, elle fut complètement approvisionnée de viandes salées, de biscuits, de barils de farine, de pommes de terre, de porc, de vin, d'eau-de-vie, de café, de thé, de tabac.

Le départ fut fixé au 22 mai. La veille au soir, André Vasling, qui n'avait pas encore rendu réponse à Jean Cornbutte, se rendit à son logis. Il était encore indécis et ne savait quel parti prendre.

Jean Cornbutte n'était pas chez lui, bien que la porte de sa maison fût ouverte. André Vasling pénétra dans la salle commune, attenante à la chambre de la jeune fille, et, là, le bruit d'une conversation animée frappa son oreille. Il écouta attentivement et reconnut les voix de Penellan et de Marie.

Sans doute la discussion se prolongeait déjà depuis quelque temps, car la jeune fille semblait opposer une inébranlable fermeté aux observations du marin breton.

« Quel âge a mon oncle Cornbutte ? disait Marie.

— Quelque chose comme soixante ans, répondait Penellan.

— Eh bien ! ne va-t-il pas affronter des dangers pour retrouver son fils ?

— Notre capitaine est un homme solide encore, répliquait le marin. Il a un corps de bois de chêne et des muscles durs comme une barre de rechange ! Aussi, je ne suis point effrayé de lui voir reprendre la mer !

— Mon bon Penellan, reprit Marie, on est forte quand on aime ! D'ailleurs, j'ai pleine confiance dans l'appui du Ciel. Vous me comprenez et vous me viendrez en aide !

— Non ! disait Penellan. C'est impossible, Marie ! Qui sait où nous dériverons et quels maux il nous faudra souffrir ! Combien ai-je vu d'hommes vigoureux laisser leur vie dans ces mers !

— Penellan, reprit la jeune fille, il n'en sera ni plus ni moins, et si vous me refusez, je croirai que vous ne m'aimez plus ! »

André Vasling avait compris la résolution de la jeune fille. Il réfléchit un instant, et son parti fut pris.

« Jean Cornbutte, dit-il, en s'avançant vers le vieux marin qui entrait, je suis des vôtres.

Les causes qui m'empêchaient d'embarquer ont disparu, et vous pouvez compter sur mon dévouement.

— Je n'avais jamais douté de vous, André Vasling, répondit Jean Cornbutte en lui prenant la main. Marie ! mon enfant ! » dit-il à voix haute.

Marie et Penellan parurent aussitôt.

« Nous appareillerons demain au point du jour avec la marée tombante, dit le vieux marin. Ma pauvre Marie, voici la dernière soirée que nous passerons ensemble !

— Mon oncle ! s'écria Marie en tombant dans les bras de Jean Cornbutte.

— Marie ! Dieu aidant, je te ramènerai ton fiancé !

— Oui, nous retrouverons Louis ! ajouta André Vasling.

— Vous êtes donc des nôtres ? demanda vivement Penellan.

— Oui, Penellan, André Vasling sera mon second, répondit Jean Cornbutte.

— Oh! oh! fit le Breton d'un air singulier.

— Et ses conseils nous seront utiles, car il est habile et entreprenant.

— Mais vous-même, capitaine, répondit André Vasling, vous nous en remontrerez à tous, car il y a encore en vous autant de vigueur que de savoir.

— Eh bien, mes amis, à demain. Rendez-vous à bord et prenez les dernières dispositions. Au revoir, André! au revoir, Penellan! »

Le second et le matelot sortirent ensemble. Jean Cornbutte et Marie demeurèrent en présence l'un de l'autre. Bien des larmes furent répandues pendant cette triste soirée. Jean Cornbutte, voyant Marie si désolée, résolut de brusquer la séparation en quittant le lendemain la maison sans la prévenir. Aussi, ce soir-là même, lui donna-t-il son dernier baiser, et à trois heures du matin il fut sur pied.

Ce départ avait attiré sur l'estacade tous les amis du vieux marin. Le curé, qui devait bénir l'union de Marie et de Louis, vint donner une dernière bénédiction au navire. De rudes poignées de main furent silencieusement échangées, et Jean Cornbutte monta à bord.

L'équipage était au complet. André Vasling donna les derniers ordres. Les voiles furent larguées, et le brick s'éloigna rapidement par une bonne brise de nord-ouest, tandis que le curé, debout au milieu des spectateurs agenouillés, remettait ce navire entre les mains de Dieu.

Où va ce navire? Il suit la route périlleuse sur laquelle se sont perdus tant de naufragés! Il n'a pas de destination certaine! Il doit s'attendre à tous les périls et savoir les braver sans hésitation! Dieu seul sait où il lui sera donné d'aborder! Dieu le conduise!

3

Lueur d'espoir

A cette époque de l'année, la saison était favorable, et l'équipage put espérer arriver promptement sur le lieu du naufrage.

Le plan de Jean Cornbutte se trouvait naturellement tracé. Il comptait relâcher aux îles Féroé, où le vent du nord pouvait avoir porté les naufragés ; puis, s'il acquérait la certitude qu'ils n'avaient été recueillis dans aucun port de ces parages, il devait porter ses recherches au-delà de la mer du Nord, fouiller toute la côte occidentale de la Norvège, jusqu'à Bodoë, le lieu le plus rapproché du naufrage, et au-delà, s'il le fallait.

André Vasling pensait, contrairement à l'avis du capitaine, que les côtes de l'Islande devaient plutôt être explorées ; mais Penellan fit observer que, lors de la catastrophe, la bourrasque venait de l'ouest ; ce qui, tout en donnant l'espoir que les malheureux n'avaient pas été entraînés vers le gouffre du Maelström, permettait de supposer qu'ils s'étaient jetés à la côte de Norvège.

Il fut donc résolu que l'on suivrait ce littoral d'aussi près que possible, afin de reconnaître quelques traces de leur passage.

Le lendemain du départ, Jean Cornbutte, la tête penchée sur une carte, était abîmé dans ses réflexions, quand une petite main s'appuya sur son épaule, et une douce voix lui dit à l'oreille :

« Ayez bon courage, mon oncle ! »

Il se retourna et demeura stupéfait. Marie l'entourait de ses bras.

« Marie ! ma fille à bord ! s'écria-t-il.

— La femme peut bien aller chercher son mari, quand le père s'embarque pour sauver son enfant !

— Malheureuse Marie ! Comment supporteras-tu nos fatigues ? Sais-tu bien que ta présence peut nuire à nos recherches ?

— Non, mon oncle, car je suis forte !

— Qui sait où nous serons entraînés, Marie ! Vois cette carte ! Nous approchons de ces parages si dangereux, même pour nous autres marins, endurcis à toutes les fatigues de la mer ! Et toi, faible enfant !

— Mais, mon oncle, je suis d'une famille de marins ! Je suis faite aux récits de combats et de tempêtes ! Je suis près de vous et de mon vieil ami Penellan !

— Penellan ! C'est lui qui t'a cachée à bord !

— Oui, mon oncle, mais seulement quand il a vu que j'étais décidée à le faire sans son aide.

— Penellan ! » cria Jean Cornbutte.

Penellan entra.

« Penellan, il n'y a pas à revenir sur ce qui est fait, mais souviens-toi que tu es responsable de l'existence de Marie !

— Soyez tranquille, capitaine, répondit Penellan. La petite a force et courage, et elle nous servira d'ange gardien. Et puis, capitaine, vous connaissez mon idée : tout est pour le mieux dans ce monde. »

La jeune fille fut installée dans une cabine, que les matelots disposèrent pour elle en peu d'instants et qu'ils rendirent aussi confortable que possible.

Huit jours plus tard, *La Jeune-Hardie* relâchait aux Féroé ; mais les plus minutieuses explorations demeurèrent sans fruit. Aucun naufragé, aucun débris de navire n'avait été recueilli sur les côtes. La nouvelle même de l'événement y était entièrement inconnue. Le brick reprit donc son voyage, après dix jours de relâche, vers le 10 juin. L'état de la mer était bon, les vents fermes. Le navire fut rapidement poussé vers les côtes de Norvège, qu'il explora sans plus de résultat.

Jean Cornbutte résolut de se rendre à Bodoë. Peut-être apprendrait-il là le nom du navire naufragé au secours duquel s'étaient précipités Louis Cornbutte et ses deux matelots.

Le 30 juin, le brick jetait l'ancre dans ce port.

Là, les autorités remirent à Jean Cornbutte une bouteille trouvée à la côte et qui renfermait un document ainsi conçu :

Ce 26 avril, à bord du Froöern, *après avoir été accostés par la chaloupe de* La Jeune-Hardie, *nous sommes entraînés par les courants vers les glaces ! Dieu ait pitié de nous !*

Le premier mouvement de Jean Cornbutte fut de remercier le Ciel. Il se croyait sur les traces de son fils ! Ce *Froöern* était une goélette norvégienne dont on n'avait plus de nouvelles, mais qui avait été évidemment entraînée dans le Nord.

Il n'y avait pas à perdre un jour. *La Jeune-Hardie* fut aussitôt mise en état d'affronter les périls des mers polaires. Fidèle Misonne le charpentier la visita scrupuleusement et s'assura que sa construction solide pourrait résister au choc des glaçons.

Par les soins de Penellan, qui avait déjà fait la pêche de la baleine dans les mers arctiques, des couvertures de laine, des vêtements fourrés, de nombreux mocassins en peau de phoque et le bois nécessaire à la fabrication de traîneaux destinés à courir sur les plaines de glaces, furent embarqués à bord. On augmenta, sur une grande proportion, les approvisionnements d'esprit-de-vin et de charbon de terre, car il était possible que l'on fût forcé d'hiverner sur quelque point de la côte groenlandaise. On se procura également, à grand prix et à grand-peine, une certaine quantité de citrons, destinés à prévenir ou guérir le scorbut, cette terrible maladie qui décime les équipages dans les régions glacées. Toutes les provisions de viandes salées, de biscuits, d'eau-de-vie, augmentées dans une prudente mesure, commencèrent à emplir une partie de la cale du brick, car la cambuse n'y pouvait plus suffire. On se munit également d'une grande quantité de pemmican, préparation indienne qui concentre beaucoup d'éléments nutritifs sous un petit volume.

D'après les ordres de Jean Cornbutte, on embarqua à bord de *La Jeune-Hardie* des scies, destinées à couper les champs de glaces, ainsi que des piques et des coins propres à les séparer. Le capitaine se réserva de prendre, sur la côte groenlandaise, les chiens nécessaires au tirage des traîneaux.

Tout l'équipage fut employé à ces préparatifs et déploya une grande activité. Les matelots
Aupic, Gervique et Gradlin suivaient avec empressement les conseils du timonier Penellan,
qui, dès ce moment, les engagea à ne point
s'habituer aux vêtements de laine, quoique la
température fût déjà basse sous ces latitudes,
situées au-dessus du cercle polaire.

Penellan observait, sans en rien dire, les
moindres actions d'André Vasling. Cet homme, Hollandais d'origine, venait on ne sait d'où,
et, bon marin du reste, il avait fait deux voyages à bord de *La Jeune-Hardie*. Penellan ne pouvait encore lui rien reprocher, si ce n'est d'être
trop empressé auprès de Marie, mais il le surveil-
lait de près.

Grâce à l'activité de l'équipage, le brick fut
armé vers le 16 juillet, quinze jours après son
arrivée à Bodoë. C'était alors l'époque favorable pour tenter des explorations dans les mers

arctiques. Le dégel s'opérait depuis deux mois, et les recherches pouvaient être poussées plus avant. *La Jeune-Hardie* appareilla donc et se dirigea sur le cap Brewster, situé sur la côte orientale du Groenland, par le soixante-dixième degré de latitude.

4

Dans les Passes

Vers le 23 juillet, un reflet, élevé au-dessus de
la mer, annonça les premiers bancs de glaces
qui, sortant alors du détroit de Davis, se précipitaient dans l'Océan. A partir de ce moment, une
surveillance très active fut recommandée aux
vigies, car il importait de ne point se heurter
à ces masses énormes.

L'équipage fut divisé en deux quarts : le
premier fut composé de Fidèle Misonne, de
Gradlin et de Gervique ; le second, d'André
Vasling, d'Aupic et de Penellan. Ces quarts
ne devaient durer que deux heures, car sous
ces froides régions la force de l'homme est

diminuée de moitié. Bien que *La Jeune-Hardie* ne fût encore que par le soixante-troisième degré de latitude, le thermomètre marquait déjà neuf degrés centigrades au-dessous de zéro.

La pluie et la neige tombaient souvent en abondance. Pendant les éclaircies, quand le vent ne soufflait pas trop violemment, Marie demeurait sur le pont, et ses yeux s'accoutumaient à ces rudes scènes des mers polaires.

Le 1er août, elle se promenait à l'arrière du brick et causait avec son oncle, André Vasling et Penellan. *La Jeune-Hardie* entrait alors dans une passe large de trois milles, à travers laquelle des trains de glaçons brisés descendaient rapidement vers le sud.

« Quand apercevrons-nous la terre ? demanda la jeune fille.

— Dans trois ou quatre jours au plus tard, répondit Jean Cornbutte.

— Mais y trouverons-nous de nouveaux indices du passage de mon pauvre Louis ?

— Peut-être, ma fille, mais je crains bien que nous ne soyons encore loin du terme de notre voyage. Il est à redouter que le *Froöern* ait été entraîné plus au nord !

— Cela doit être, ajouta André Vasling, car cette bourrasque qui nous a séparés du navire norvégien a duré trois jours, et en trois jours un navire fait bien de la route, quand il est désemparé au point de ne pouvoir résister au vent !

— Permettez-moi de vous dire, monsieur Vasling, riposta Penellan, que c'était au mois d'avril, que le dégel n'était pas commencé alors, et que, par conséquent, le *Froöern* a dû être arrêté promptement par les glaces…

— Et sans doute brisé en mille pièces, répondit le second, puisque son équipage ne pouvait plus manœuvrer !

— Mais ces plaines de glaces, répondit Penellan, lui offraient un moyen facile de gagner la terre, dont il ne pouvait être éloigné.

— Espérons ! dit Jean Cornbutte en interrompant une discussion qui se renouvelait journellement entre le second et le timonier. Je crois que nous verrons la terre avant peu.

— La voilà ! s'écria Marie. Voyez ces montagnes !

— Non, mon enfant, répondit Jean Cornbutte. Ce sont des montagnes de glaces, les premières que nous rencontrons. Elles nous broieraient comme du verre, si nous nous laissions prendre entre elles. Penellan et Vasling, veillez à la manœuvre. »

Ces masses flottantes, dont plus de cinquante apparaissaient alors à l'horizon, se rapprochèrent peu à peu du brick. Penellan prit le gouvernail, et Jean Cornbutte, monté sur les barres du petit perroquet, indiqua la route à suivre.

Vers le soir, le brick fut tout à fait engagé dans ces écueils mouvants, dont la force d'écrasement est irrésistible. Il s'agissait alors de traverser cette flotte de montagnes, car la prudence commandait de se porter en avant. Une autre difficulté s'ajoutait à ces périls : on ne pouvait constater utilement la direction du navire, tous les points environnants se déplaçant sans cesse et n'offrant aucune perspective stable. L'obscurité s'augmenta bientôt avec le brouillard. Marie descendit dans sa cabine, et, sur l'ordre du capitaine, les huit hommes de l'équipage durent rester sur le pont. Ils étaient armés de longues gaffes garnies de pointes de fer, pour préserver le navire du choc des glaces.

La Jeune-Hardie entra bientôt dans une passe si étroite, que souvent l'extrémité de ses vergues fut froissée par les montagnes en dérive, et que ses bouts-dehors durent être rentrés. On fut même obligé d'orienter la grande vergue à toucher les haubans. Heureusement, cette mesure ne fit rien perdre au brick de sa vitesse, car le vent ne pouvait atteindre que les voiles supérieures, et celles-ci suffirent à le pousser rapidement. Grâce à la finesse de sa coque, il s'enfonça dans ces vallées qu'emplissaient des tourbillons de pluie, tandis que les glaçons s'entrechoquaient avec de sinistres craquements.

Jean Cornbutte redescendit sur le pont. Ses regards ne pouvaient percer les ténèbres environnantes. Il devint nécessaire de carguer les voiles hautes, car le navire menaçait de toucher, et, dans ce cas, il eût été perdu.

« Maudit voyage ! grommelait André Vasling au milieu des matelots de l'avant, qui, la gaffe en main, évitaient les chocs les plus menaçants.

— Le fait est que si nous en échappons,

nous devrons une belle chandelle à Notre-Dame des Glaces ! répondit Aupic.

— Qui sait ce qu'il y a de montagnes flottantes à traverser encore ? ajouta le second.

— Et qui se doute de ce que nous trouverons derrière ? reprit le matelot.

— Ne cause donc pas tant, bavard, dit Gervique, et veille à ton bord. Quand nous serons passés, il sera temps de grogner ! Gare à ta gaffe ! »

En ce moment, un énorme bloc de glace, engagé dans l'étroite passe que suivait *La Jeune-Hardie*, filait rapidement à contre-bord, et il parut impossible de l'éviter, car il barrait toute la largeur du chenal, et le brick se trouvait dans l'impossibilité de virer.

« Sens-tu la barre ? demanda Jean Cornbutte à Penellan.

— Non, capitaine ! Le navire ne gouverne plus !

« — Ohé ! garçons, cria le capitaine à son équipage, n'ayez pas peur, et arc-boutez solidement vos gaffes contre le plat-bord ! »

Le bloc avait soixante pieds de haut à peu près, et s'il se jetait sur le brick, le brick était broyé. Il y eut un indéfinissable moment d'angoisse, et l'équipage reflua vers l'arrière, abandonnant son poste, malgré les ordres du capitaine.

Mais au moment où ce bloc n'était plus qu'à une demi-encablure de *La Jeune-Hardie*, un bruit sourd se fit entendre, et une véritable trombe d'eau tomba d'abord sur l'avant du navire, qui s'éleva ensuite sur le dos d'une vague énorme.

Un cri de terreur fut jeté par tous les matelots ; mais quand leurs regards se portèrent vers l'avant, le bloc avait disparu, la passe était libre, et, au-delà, une immense plaine d'eau, éclairée par les derniers rayons du jour, assurait une facile navigation.

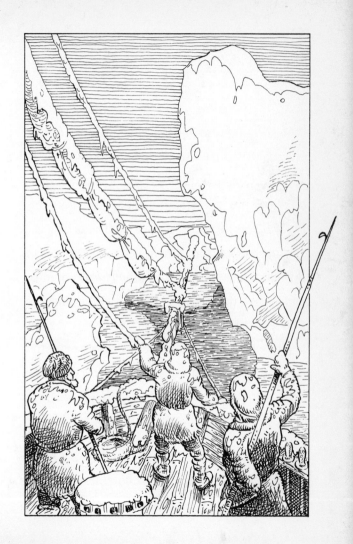

« Tout est pour le mieux ! s'écria Penellan. Orientons nos huniers et notre misaine ! »

Un phénomène, très commun dans ces parages, venait de se produire. Lorsque ces masses flottantes se détachent les unes des autres à l'époque du dégel, elles voguent dans un équilibre parfait ; mais en arrivant dans l'Océan, où l'eau est relativement plus chaude, elles ne tardent pas à se miner à leur base, qui se fond peu à peu et qui d'ailleurs est ébranlée par le choc des autres glaçons. Il vient donc un moment où le centre de gravité de ces masses se trouve déplacé, et alors elles culbutent entièrement. Seulement, si ce bloc se fût retourné deux minutes plus tard, il se précipitait sur le brick et l'effondrait dans sa chute.

5

L'Ile Liverpool

Le brick voguait alors dans une mer presque entièrement libre. A l'horizon seulement, une lueur blanchâtre, sans mouvement cette fois, indiquait la présence de plaines immobiles.

Jean Cornbutte se dirigeait toujours sur le cap Brewster et s'approchait déjà des régions où la température est excessivement froide, car les rayons du soleil n'y arrivent que très affaiblis par leur obliquité.

Le 3 août, le brick se retrouva en présence de glaces immobiles et unies entre elles. Les passes n'avaient souvent qu'une encablure de largeur, et *La Jeune-Hardie* était forcée de faire mille détours qui la présentaient parfois debout au vent.

Penellan s'occupait avec un soin paternel de Marie, et, malgré le froid, il l'obligeait à venir tous les jours passer deux ou trois heures sur le pont, car l'exercice devenait une des conditions indispensables de la santé.

Le courage de Marie, d'ailleurs, ne faiblissait pas. Elle réconfortait même les matelots du brick par ses paroles, et tous éprouvaient pour elle une véritable adoration. André Vasling se montrait plus empressé que jamais, et il recherchait toutes les occasions de s'entretenir avec elle ; mais la jeune fille, par une sorte de pressentiment, n'accueillait ses services qu'avec une certaine froideur. On comprend aisément que l'avenir, bien plus que le présent, était l'objet des conversations d'André Vasling, et qu'il ne cachait pas le peu de probabilités qu'offrait le sauvetage des naufragés. Dans sa pensée, leur perte était maintenant un fait accompli, et la jeune fille devait dès lors remettre entre les mains de quelque autre le soin de son existence.

Cependant, Marie n'avait pas encore compris les projets d'André Vasling, car, au grand ennui de ce dernier, ces conversations ne pouvaient se prolonger. Penellan trouvait toujours moyen d'intervenir et de détruire l'effet des propos d'André Vasling par les paroles d'espoir qu'il faisait entendre.

Marie, d'ailleurs, ne demeurait pas inoccupée. D'après les conseils du timonier, elle prépara ses habits d'hiver, et il fallut qu'elle changeât tout à fait son accoutrement. La coupe de ses vêtements de femme ne convenait pas sous ces latitudes froides. Elle se fit donc une espèce de pantalon fourré, dont les pieds étaient garnis de peau de phoque, et ses jupons étroits ne lui vinrent plus qu'à mi-jambe, afin de ne pas être en contact avec ces couches de neige, dont l'hiver allait couvrir les plaines de glace. Une mante en fourrure, étroitement fermée à la taille et garnie d'un capuchon, lui protégea le haut du corps.

Dans l'intervalle de leurs travaux, les hommes de l'équipage se confectionnèrent aussi des vêtements capables de les abriter du froid. Ils firent en grande quantité de hautes bottes en peau de phoque, qui devaient leur permettre de traverser impunément les neiges pendant leurs voyages d'exploration. Ils travaillèrent ainsi tout le temps que dura cette navigation dans les passes.

André Vasling, très adroit tireur, abattit plusieurs fois des oiseaux aquatiques, dont les bandes innombrables voltigeaient autour du navire. Une espèce d'*eiderduk*s et des *ptarmigans* fournirent à l'équipage une chair excellente, qui le reposa des viandes salées.

Enfin le brick, après mille détours, arriva en

vue du cap Brewster. Une chaloupe fut mise à la mer. Jean Cornbutte et Penellan gagnèrent la côte, qui était absolument déserte.

Aussitôt, le brick se dirigea sur l'île Liverpool, découverte, en 1821, par le capitaine Scoresby, et l'équipage poussa des acclamations, en voyant les naturels accourir sur la plage. Les communications s'établirent aussitôt, grâce à quelques mots de leur langue que possédait Penellan et à quelques phrases usuelles qu'eux-mêmes avaient apprises des baleiniers qui fréquentaient ces parages.

Ces Groenlandais étaient petits et trapus ; leur taille ne dépassait pas quatre pieds dix pouces ; ils avaient le teint rougeâtre, la face ronde et le front bas ; leurs cheveux, plats et noirs, retombaient sur leur dos ; leurs dents étaient gâtées, et ils paraissaient affectés de cette sorte de lèpre particulière aux tribus ichtyophages.

En échange de morceaux de fer et de cuivre, dont ils sont extrêmements avides, ces pauvres gens apportaient des fourrures d'ours, des peaux de veaux marins, de chiens marins, de loups de mer et de tous ces animaux généralement compris sous le nom de phoques. Jean Cornbutte obtint à très bas prix ces objets, qui allaient devenir pour lui d'une si grande utilité.

Le capitaine fit alors comprendre aux naturels qu'il était à la recherche d'un navire naufragé, et il leur demanda s'ils n'en avaient pas quelques nouvelles. L'un d'eux traça immédiatement sur la neige une sorte de navire et indiqua qu'un bâtiment de cette espèce avait été, il y a trois mois, emporté dans la direction du nord; il indiqua aussi que le dégel et la rupture des champs de glaces les avaient empêchés d'aller à sa découverte, et, en effet, leurs pirogues fort légères, qu'ils manœuvrent à la pagaie, ne pouvaient tenir la mer dans ces conditions.

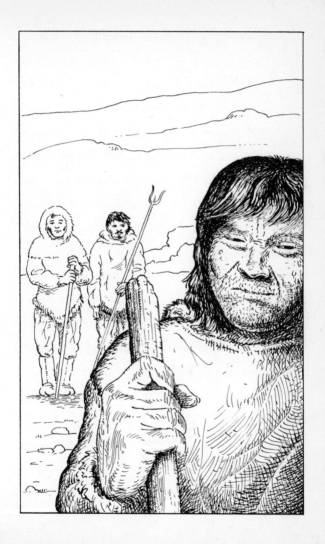

Ces nouvelles, quoique imparfaites, ramenè-
rent l'espérance dans le cœur des matelots, et
Jean Cornbutte n'eut pas de peine à les entraîner plus avant dans la mer polaire.

Avant de quitter l'île Liverpool, le capitaine
fit emplette d'un attelage de six chiens esquimaux, qui se furent bientôt acclimatés à bord.
Le navire leva l'ancre le 10 août au matin, et,
par une forte brise, il s'enfonça dans les passes
du nord.

On était alors parvenu aux plus longs jours
de l'année, c'est-à-dire que, sous ces latitudes
élevées, le soleil, qui ne se couchait pas, attei-
gnait le plus haut point des spirales qu'il décri-
vait au-dessus de l'horizon.

Cette absence totale de nuit n'était pourtant
pas très sensible, car la brume, la pluie et la
neige entouraient parfois le navire de véritables
ténèbres.

Jean Cornbutte, décidé à aller aussi avant

que possible, commença à prendre ses mesures d'hygiène. L'entrepont fut parfaitement clos, et chaque matin seulement on prit soin d'en renouveler l'air par des courants. Les poêles furent installés, et les tuyaux disposés de façon à donner le plus de chaleur possible. On recommanda aux hommes de l'équipage de ne porter qu'une chemise de laine par-dessus leur chemise de coton, et de fermer hermétiquement leur casaque de peau. Du reste, les feux ne furent pas encore allumés, car il importait de réserver les provisions de bois et de charbon de terre pour les grands froids.

Les boissons chaudes, telles que le café et le thé, furent distribuées régulièrement aux matelots matin et soir, et comme il était utile de se nourrir de viandes, on fit la chasse aux canards et aux sarcelles, qui abondent dans ces parages.

Jean Cornbutte installa aussi, au sommet du

grand mât, un « nid de corneilles », sorte de tonneau défoncé par un bout, dans lequel se tint constamment une vigie pour observer les plaines de glace.

Deux jours après que le brick eut perdu de vue l'île Liverpool, la température se refroidit subitement sous l'influence d'un vent sec. Quelques indices de l'hiver furent aperçus. *La Jeune-Hardie* n'avait pas un moment à perdre, car bientôt la route devait lui être absolument fermée. Elle s'avança donc à travers les passes que laissaient entre elles des plaines ayant jusqu'à trente pieds d'épaisseur.

Le 3 septembre au matin, *La Jeune-Hardie* parvint à la hauteur de la baie de Gaël-Hamkes. La terre se trouvait alors à trente milles sous le vent. Ce fut la première fois que le brick s'arrêta devant un banc de glace qui ne lui offrait aucun passage et qui mesurait au moins un mille de largeur. Il fallut donc employer les scies pour couper la glace. Penellan, Aupic, Gradlin et Turquiette furent préposés à la manœuvre de ces scies, qu'on avait installées en dehors du navire. Le tracé des coupures fut fait de telle sorte que le courant pût emporter les glaçons détachés du banc. Tout l'équipage réuni mit près de vingt heures à ce travail. Les hommes éprouvaient une peine extrême à se maintenir sur la glace ; souvent ils étaient forcés de se mettre dans l'eau jusqu'à mi-corps, et leurs vêtements de peau de phoque ne les préservaient que très imparfaitement de l'humidité.

D'ailleurs, sous ces latitudes élevées, tout travail excessif est bientôt suivi d'une fatigue absolue, car la respiration manque promptement, et le plus robuste est forcé de s'arrêter souvent.

Enfin la navigation redevint libre, et le brick fut remorqué au-delà du banc qui l'avait si longtemps retenu.

6

Le Tremblement
de glaces

Pendant quelques jours encore, *La Jeune-Hardie* lutta contre d'insurmontables obstacles. L'équipage eut presque toujours la scie à la main, et souvent même on fut forcé d'employer la poudre pour faire sauter les énormes blocs de glace qui coupaient le chemin.

Le 12 septembre, la mer n'offrit plus qu'une plaine solide, sans issue, sans passe, qui entourait le navire de tous côtés, de sorte qu'il ne pouvait ni avancer ni reculer. La température se maintenait, en moyenne, à seize degrés au-dessous de zéro. Le moment de l'hivernage était donc venu, et la saison d'hiver arrivait avec ses souffrances et ses dangers.

La Jeune-Hardie se trouvait alors à peu près par le vingt et unième degré de longitude ouest et le soixante-seizième degré de latitude nord, à l'entrée de la baie de Gaël-Hamkes.

Jean Cornbutte fit ses premiers préparatifs d'hivernage. Il s'occupa d'abord de trouver une crique dont la position mît son navire à l'abri des coups de vent et des grandes débâcles. La terre, qui devait être à une dizaine de milles dans l'ouest, pouvait seule lui offrir de sûrs abris, qu'il résolut d'aller reconnaître.

Le 12 septembre, il se mit en marche, accompagné d'André Vasling, de Penellan et des deux matelots Gradlin et Turquiette. Chacun portait des provisions pour deux jours, car il n'était pas probable que leur excursion se prolongeât au-delà, et ils s'étaient munis de peaux de buffle, sur lesquelles ils devaient se coucher.

La neige, qui avait tombé en grande abondance et dont la surface n'était pas gelée, les retarda considérablement. Ils enfonçaient souvent jusqu'à mi-corps, et ne pouvaient, d'ailleurs, s'avancer qu'avec une extrême prudence, s'ils ne voulaient pas tomber dans les crevasses. Penellan, qui marchait en tête, sondait soigneusement chaque dépression du sol avec son bâton ferré.

Vers les cinq heures du soir, la brume commença à s'épaissir, et la petite troupe dut s'arrêter. Penellan s'occupa de chercher un glaçon qui pût les abriter du vent, et, après s'être un peu restaurés, tout en regrettant de ne pas avoir quelque chaude boisson, ils étendirent leur peau de buffle sur la neige, s'en enveloppèrent, se serrèrent les uns près des autres, et le sommeil l'emporta bientôt sur la fatigue.

Le lendemain matin, Jean Cornbutte et ses compagnons étaient ensevelis sous une couche de neige de plus d'un pied d'épaisseur. Heureusement leurs peaux, parfaitement imperméables, les avaient préservés, et cette neige avait même contribué à conserver leur propre chaleur, qu'elle empêchait de rayonner au-dehors.

Jean Cornbutte donna aussitôt le signal du départ, et, vers midi, ses compagnons et lui aperçurent enfin la côte, qu'ils eurent d'abord quelque peine à distinguer. De hauts blocs de glace, taillés perpendiculairement, se dressaient sur le rivage; leurs sommets variés, de toutes formes et de toutes tailles, reproduisaient en grand les phénomènes de la cristallisation. Des myriades d'oiseaux aquatiques s'envolèrent à l'approche des marins, et les phoques, qui étaient étendus paresseusement sur la glace, plongèrent avec précipitation.

« Ma foi ! dit Penellan, nous ne manquerons ni de fourrures ni de gibier !

— Ces animaux-là, répondit Jean Cornbutte, ont tout l'air d'avoir reçu déjà la visite des hommes, car, dans des parages entièrement inhabités, ils ne seraient pas si sauvages.

— Il n'y a que des Groenlandais qui fréquentent ces terres, répliqua André Vasling.

— Je ne vois cependant aucune trace de leur passage, ni le moindre campement, ni la moindre hutte ! répondit Penellan, en gravissant un pic élevé. – Ohé ! capitaine, s'écria-t-il, venez donc ! J'aperçois une pointe de terre qui nous préservera joliment des vents du nord-est.

— Par ici, mes enfants ! » dit Jean Cornbutte.

Ses compagnons le suivirent, et tous rejoignirent bientôt Penellan. Le marin avait dit vrai. Une pointe de terre assez élevée s'avançait comme un promontoire, et, en se recourbant vers la côte, elle formait une petite baie d'un mille de profondeur au plus. Quelques glaces mouvantes, brisées par cette pointe, flottaient au milieu, et la mer, abritée contre les vents les plus froids, ne se trouvait pas encore entièrement prise.

Ce lieu d'hivernage était excellent. Restait à y conduire le navire. Or, Jean Cornbutte remarqua que la plaine de glace avoisinante était d'une grande épaisseur, et il paraissait fort difficile, dès lors, de creuser un canal pour conduire le brick à sa destination. Il fallait donc chercher quelque autre crique, mais ce fut en vain que Jean Cornbutte s'avança vers le nord. La côte restait droite et abrupte sur une grande longueur, et, au-delà de la pointe, elle se trouvait directement exposée aux coups de vent de l'est. Cette circonstance déconcerta le capitaine, d'autant plus qu'André Vasling fit valoir combien la situation était mauvaise en s'appuyant sur des raisons péremptoires. Penellan eut beaucoup de peine à se prouver à lui-même que, dans cette conjoncture, tout fût pour le mieux.

Le brick n'avait donc plus que la chance de trouver un lieu d'hivernage sur la partie méridionale de la côte. C'était revenir sur ses pas, mais il n'y avait pas à hésiter. La petite troupe reprit donc le chemin du navire, et marcha rapidement, car les vivres commençaient à manquer. Jean Cornbutte chercha, tout le long de la route, quelque passe qui fût praticable, ou au moins quelque fissure qui permît de creuser un canal à travers la plaine de glace, mais en vain.

Vers le soir, les marins arrivèrent près du glaçon où ils avaient campé pendant l'autre nuit. La journée s'était passée sans neige, et ils purent encore reconnaître l'empreinte de leurs corps sur la glace. Tout était donc disposé pour leur coucher, et ils s'étendirent sur leur peau de buffle.

Penellan, très contrarié de l'insuccès de son

exploration, dormait assez mal, quand, dans un moment d'insomnie, son attention fut attirée par un roulement sourd. Il prêta attentivement l'oreille à ce bruit, et ce roulement lui parut tellement étrange, qu'il poussa du coude Jean Cornbutte.

« Qu'est-ce que c'est ? demanda celui-ci, qui, suivant l'habitude du marin, eut l'intelligence aussi rapidement éveillée que le corps.

— Ecoutez, capitaine ! » répondit Penellan.

Le bruit augmentait avec une violence sensible.

« Ce ne peut être le tonnerre sous une latitude si élevée ! dit Jean Cornbutte en se levant.

— Je crois que nous avons plutôt affaire à une bande d'ours blancs ! répondit Penellan.

— Diable ! nous n'en avons pas encore aperçu, cependant.

— Un peu plus tôt, un peu plus tard, répondit Penellan, nous devons nous attendre à

leur visite. Commençons donc par les bien re-
cevoir. »

Penellan, armé d'un fusil, gravit lestement le
bloc qui les abritait. L'obscurité étant fort
épaisse et le temps couvert, il ne put rien dé-
couvrir ; mais un incident nouveau lui prouva
bientôt que la cause de ce bruit ne venait pas
des environs. Jean Cornbutte le rejoignit, et ils
remarquèrent avec effroi que ce roulement,
dont l'intensité réveilla leurs compagnons, se
produisait sous leurs pieds.

Un péril d'une nouvelle sorte venait les me-
nacer. A ce bruit, qui ressembla bientôt aux
éclats du tonnerre, se joignit un mouvement
d'ondulation très prononcé du champ de glace.
Plusieurs matelots perdirent l'équilibre et tombèrent.

« Attention ! cria Penellan.

— Oui ! lui répondit-on.

— Turquiette ! Gradlin ! Où êtes-vous ?

« — Me voici ! répondit Turquiette, secouant la neige dont il était couvert.

— Par ici, Vasling, cria Jean Cornbutte au second. Et Gradlin ?

— Présent, capitaine ! … Mais nous sommes perdus ! s'écria Gradlin avec effroi.

— Eh non ! fit Penellan. Nous sommes peut-être sauvés ! »

A peine achevait-il ces mots, qu'un craquement effroyable se fit entendre. La plaine de glace se brisa tout entière, et les matelots durent se cramponner au bloc qui oscillait auprès d'eux. En dépit des paroles du timonier, ils se trouvaient dans une position excessivement périlleuse, car un tremblement venait de se produire. Les glaçons venaient de « lever l'ancre », suivant l'expression des marins. Ce mouvement dura près de deux minutes, et il était à craindre qu'une crevasse ne s'ouvrît sous les pieds même des malheureux matelots !

Aussi attendirent-ils le jour au milieu de transes continuelles, car ils ne pouvaient, sous peine de périr, se hasarder à faire un pas, et ils demeurèrent étendus tout de leur long pour éviter d'être engloutis.

Aux premières lueurs du jour, un tableau tout différent s'offrit à leurs yeux. La vaste plaine, unie la veille, se trouvait disjointe en mille endroits, et les flots soulevés par quelque commotion sous-marine avaient brisé la couche épaisse qui les recouvrait.

La pensée de son brick se présenta à l'esprit de Jean Cornbutte.

« Mon pauvre navire ! s'écria-t-il. Il doit être perdu ! »

Le plus sombre désespoir commença à se peindre sur la figure de ses compagnons. La perte du navire entraînait inévitablement leur mort prochaine.

« Courage ! mes amis, reprit Penellan. Songez donc que le tremblement de cette nuit nous a ouvert un chemin à travers les glaces, qui permettra de conduire notre brick à la baie d'hivernage! Eh! tenez, je ne me trompe pas! *La Jeune-Hardie*, la voilà, plus rapprochée de nous d'un mille! »

Tous se précipitèrent en avant, et si imprudemment, que Turquiette glissa dans une fissure et eût infailliblement péri, si Jean Cornbutte ne l'eût rattrapé par son capuchon. Il en fut quitte pour un bain un peu froid.

Effectivement, le brick flottait à deux milles au vent. Après des peines infinies, la petite troupe l'atteignit. Le brick était en bon état; mais son gouvernail, que l'on avait négligé d'enlever, avait été brisé par les glaces.

7

Les Installations de l'hivernage

Penellan avait encore une fois raison : tout était pour le mieux, et ce tremblement de glaces avait ouvert au navire une route praticable jusqu'à la baie. Les marins n'eurent plus qu'à disposer habilement des courants pour y diriger les glaçons de manière à se frayer une route.

Le 19 septembre, le brick fut enfin établi, à deux encablures de terre, dans sa baie d'hivernage, et solidement ancré sur un bon fond. Dès le jour suivant, la glace s'était déjà formée autour de sa coque ; bientôt elle devint assez forte pour supporter le poids d'un homme, et la communication put s'établir directement avec la terre.

Suivant l'habitude des navigateurs arctiques, le gréement resta tel qu'il était ; les voiles furent soigneusement repliées sur les vergues et garnies de leur étui, et le nid de corneilles demeura en place, autant pour permettre d'observer au loin que pour attirer l'attention sur le navire.

Déjà le soleil s'élevait à peine au-dessus de l'horizon. Depuis le solstice de juin, les spirales qu'il avait décrites s'étaient de plus en plus abaissées, et bientôt il devait disparaître tout à fait.

L'équipage se hâta de faire ses préparatifs. Penellan en fut le grand ordonnateur. La glace se fût bientôt épaissie autour du navire, et il était à craindre que sa pression ne fût dangereuse ; mais Penellan attendit que, par suite du va-et-vient des glaçons flottants et de leur adhérence, elle eût atteint une vingtaine de pieds d'épaisseur ; il la fit alors tailler en biseau autour de la coque, si bien qu'elle se rejoignit sous le navire, dont elle prit la forme ; enclavé dans un lit, le brick n'eut plus à craindre dès lors la pression des glaces, qui ne pouvaient faire aucun mouvement.

Les marins élevèrent ensuite le long des préceintes, et jusqu'à la hauteur des bastingages, une muraille de cinq à six pieds d'épaisseur, qui ne tarda pas à se durcir comme un roc. Cette enveloppe ne permettait pas à la chaleur intérieure de rayonner au-dehors. Une tente en toile, recouverte de peaux et hermétiquement fermée, fut tendue sur toute la longueur du pont et forma une espèce de promenoir pour l'équipage.

On construisit également à terre un magasin de neige, dans lequel on entassa les objets qui embarrassaient le navire. Les cloisons des cabines furent démontées, de manière à ne plus former qu'une vaste chambre à l'avant comme à l'arrière. Cette pièce unique était, d'ailleurs, plus facile à réchauffer, car la glace et l'humidité trouvaient moins de coins pour s'y blottir. Il fut également plus aisé de l'aérer convenablement, au moyen de manches en toile qui s'ouvraient au-dehors.

Chacun déploya une extrême activité dans ces divers préparatifs, et, vers le 25 septembre, ils furent entièrement terminés. André Vasling ne s'était pas montré le moins habile à ces divers aménagements. Il déploya surtout un empressement trop grand à s'occuper de la jeune fille, et si celle-ci, toute à la pensée de son pauvre Louis, ne s'en aperçut pas, Jean Cornbutte comprit bientôt ce qui en était. Il en causa avec Penellan; il se rappela plusieurs circonstances qui l'éclairèrent tout à fait sur les intentions de son second : André Vasling aimait Marie et comptait la demander à son oncle, dès qu'il ne serait plus permis de douter de la mort des naufragés ; on s'en retournerait alors à Dunkerque, et André Vasling s'accommoderait très bien d'épouser une fille jolie et riche, qui serait alors l'unique héritière de Jean Cornbutte.

Seulement, dans son impatience, André Vasling manqua souvent d'habileté ; il avait plusieurs fois déclaré inutiles les recherches entreprises pour retrouver les naufragés, et souvent un indice nouveau venait lui donner un démenti, que Penellan prenait du plaisir à faire ressortir. Aussi le second détestait-il cordialement le timonier, qui le lui rendait avec du retour. Ce dernier ne craignait qu'une chose, c'était qu'André Vasling ne parvînt à jeter quelque germe de dissension dans l'équipage, et il engagea Jean Cornbutte à ne lui répondre qu'évasivement à la première occasion.

Lorsque les préparatifs d'hivernage furent terminés, le capitaine prit diverses mesures propres à conserver la santé de son équipage.

Tous les matins, les hommes eurent ordre d'aérer les logements et d'essuyer soigneusement les parois intérieures, pour les débarrasser de l'humidité de la nuit. Ils reçurent, matin et soir, du thé ou du café brûlant, ce qui est un des meilleurs cordiaux à employer contre le froid; puis ils furent divisés en quarts de chasseurs, qui devaient, autant que possible, procurer chaque jour une nourriture fraîche à l'ordinaire du bord.

Chacun dut prendre aussi, tous les jours, un exercice salutaire, et ne pas s'exposer sans mouvement à la température, car, par des froids de trente degrés au-dessous de zéro, il pouvait arriver que quelque partie du corps se gelât subitement. Il fallait, dans ce cas, avoir recours aux frictions de neige, qui seules pouvaient sauver la partie malade.

Penellan recommanda fortement aussi l'usage des ablutions froides, chaque matin. Il fallait un certain courage pour se plonger les mains et la figure dans la neige, que l'on faisait dégeler à l'intérieur. Mais Penellan donna bravement l'exemple, et Marie ne fut pas la dernière à l'imiter.

Jean Cornbutte n'oublia pas non plus les lectures et les prières, car il s'agissait de ne pas laisser dans le cœur place au désespoir ou à l'ennui. Rien n'est plus dangereux dans ces latitudes désolées.

Le ciel, toujours sombre, remplissait l'âme de tristesse. Une neige épaisse, fouettée par des vents violents, ajoutait à l'horreur accoutumée. Le soleil allait disparaître bientôt. Si les nuages n'eussent pas été amoncelés sur la tête des navigateurs, ils auraient pu jouir de la lumière de la lune, qui allait devenir véritablement leur soleil pendant cette longue nuit des pôles ; mais, avec ces vents d'ouest, la neige ne cessa pas de tomber. Chaque matin, il fallait déblayer les abords du navire et tailler de nouveau dans la glace un escalier qui permît de descendre sur la plaine. On y réussissait facilement avec les couteaux à neige ; une fois les marches découpées, on jetait un peu d'eau à leur surface, et elles se durcissaient immédiatement.

Penellan fit aussi creuser un trou dans la glace, non loin du navire. Tous les jours on brisait la nouvelle croûte qui se formait à sa partie supérieure, et l'eau que l'on y puisait à une certaine profondeur était moins froide qu'à la surface.

Tous ces préparatifs durèrent environ trois semaines. Il fut alors question de pousser les recherches plus avant. Le navire était emprisonné pour six ou sept mois, et le prochain dégel pouvait seul lui ouvrir une nouvelle route à travers les glaces. Il fallait donc profiter de cette immobilité forcée pour diriger des explorations dans le nord.

8

Plan d'explorations

Le 9 octobre, Jean Cornbutte tint conseil pour dresser le plan de ses opérations, et, afin que la solidarité augmentât le zèle et le courage de chacun, il y admit tout l'équipage. La carte en main, il exposa nettement la situation présente.

La côte orientale du Groenland s'avance perpendiculairement vers le nord. Les découvertes des navigateurs ont donné la limite exacte de ces parages. Dans cet espace de cinq cents lieues, qui sépare le Groenland du Spitzberg, aucune terre n'avait encore été reconnue. Une seule île, l'île Shannon, se trouvait à une centaine de milles dans le nord de la baie de Gaël-

Hamkes, où *La Jeune-Hardie* allait hiverner.

Si donc le navire norvégien, suivant toutes les probabilités, avait été entraîné dans cette direction, en supposant qu'il n'eût pu atteindre l'île Shannon, c'était là que Louis Cornbutte et les naufragés avaient dû chercher asile pour l'hiver.

Cet avis prévalut, malgré l'opposition d'André Vasling, et il fut décidé que l'on dirigerait les explorations du côté de l'île Shannon.

Les dispositions furent immédiatement commencées. On s'était procuré, sur la côte de Norvège, un traîneau fait à la manière des Esquimaux, construit en planches recourbées à l'avant et à l'arrière, et qui fût propre à glisser sur la neige et sur la glace. Il avait douze pieds de long sur quatre de large, et pouvait, en conséquence, porter des provisions pour plusieurs semaines au besoin. Fidèle Misonne l'eut bientôt mis en état, et il y travailla dans le

magasin de neige, où ses outils avaient été transportés. Pour la première fois, on établit un poêle à charbon dans ce magasin, car tout travail y eût été impossible sans cela. Le tuyau du poêle sortait par un des murs latéraux, au moyen d'un trou percé dans la neige ; mais il résultait un grave inconvénient de cette disposition, car la chaleur du tuyau faisait fondre peu à peu la neige à l'endroit où il était en contact avec elle, et l'ouverture s'agrandissait sensiblement. Jean Cornbutte imagina d'entourer cette portion du tuyau d'une toile métallique, dont la propriété est d'empêcher la chaleur de passer. Ce qui réussit complètement.

Pendant que Misonne travaillait au traîneau, Penellan, aidé de Marie, préparait les vêtements de rechange pour la route. Les bottes de peau de phoque étaient heureusement en grand nombre. Jean Cornbutte et André Vasling s'occupèrent des provisions ; ils choisirent un petit baril d'esprit-de-vin, destiné à chauffer un réchaud portatif ; des réserves de thé et de café furent prises en quantité suffisante ; une petite caisse de biscuits, deux cents livres de pemmican et quelques gourdes d'eau-de-vie complétèrent la partie alimentaire. La chasse devait fournir chaque jour des provisions fraîches. Une certaine quantité de poudre fut divisée dans plusieurs sacs. La boussole, le sextant et la longue-vue furent mis à l'abri de tout choc.

Le 11 octobre, le soleil ne reparut pas au-dessus de l'horizon. On fut obligé d'avoir une lampe continuellement allumée dans le logement de l'équipage. Il n'y avait pas de temps à perdre, il fallait commencer les explorations, et voici pourquoi :

Au mois de janvier, le froid deviendrait tel qu'il ne serait plus possible de mettre le pied dehors, sans péril pour la vie. Pendant deux mois au moins, l'équipage serait condamné au casernement le plus complet; puis le dégel commencerait ensuite et se prolongerait jusqu'à l'époque où le navire devrait quitter les glaces. Ce dégel empêcherait forcément toute exploration. D'un autre côté, si Louis Cornbutte et ses compagnons existaient encore, il n'était pas probable qu'ils pussent résister aux rigueurs d'un hiver arctique. Il fallait donc les sauver auparavant, ou tout espoir serait perdu.

André Vasling savait tout cela mieux que personne. Aussi résolut-il d'apporter de nombreux obstacles à cette expédition.

Les préparatifs du voyage furent achevés vers le 20 octobre. Il s'agit alors de choisir les hommes qui en feraient partie. La jeune fille ne devait pas quitter la garde de Jean Cornbutte ou de Penellan. Or, ni l'un ni l'autre ne pouvaient manquer à la caravane.

La question fut donc de savoir si Marie pourrait supporter les fatigues d'un pareil voyage. Jusqu'ici elle avait passé par de rudes épreuves, sans trop en souffrir, car c'était une fille de marin, habituée dès son enfance aux fatigues de la mer, et vraiment Penellan ne s'effrayait pas de la voir, au milieu de ces climats affreux, luttant contre les dangers des mers polaires.

On décida donc, après de longues discussions, que la jeune fille accompagnerait l'expédition, et qu'il lui serait, au besoin, réservé une place dans le traîneau, sur lequel on construisit une petite hutte en bois, hermétiquement fermée. Quant à Marie, elle fut au comble de ses vœux, car il lui répugnait d'être éloignée de ses deux protecteurs.

L'expédition fut donc ainsi formée : Marie, Jean Cornbutte, Penellan, André Vasling, Aupic et Fidèle Misonne. Alain Turquiette demeura spécialement chargé de la garde du brick, sur lequel restaient Gervique et Gradlin.

De nouvelles provisions de toutes sortes furent emportées, car Jean Cornbutte, afin de pousser l'exploration aussi loin que possible, avait résolu de faire des dépôts le long de sa route, tous les sept ou huit jours de marche. Dès que le traîneau fut prêt, on le chargea immédiatement, et il fut recouvert d'une tente de peaux de buffle. Le tout formait un poids d'environ sept cents livres, qu'un attelage de cinq chiens pouvait aisément traîner sur la glace.

Le 22 octobre, suivant les prévisions du capitaine, un changement soudain se manifesta dans la température. Le ciel s'éclaircit, les étoiles jetèrent un éclat extrêmement vif, et la lune brilla au-dessus de l'horizon pour ne plus le quitter pendant une quinzaine de jours. Le thermomètre était descendu à vingt-cinq degrés au-dessous de zéro.

Le départ fut fixé au lendemain.

9

La Maison de neige

Le 23 octobre, à onze heures du matin, par une belle lune, la caravane se mit en marche. Les précautions étaient prises, cette fois, de façon que le voyage pût se prolonger longtemps, s'il le fallait. Jean Cornbutte suivit la côte, en remontant vers le nord. Les pas des marcheurs ne laissaient aucune trace sur cette glace résistante. Aussi Jean Cornbutte fut-il obligé de se guider au moyen de points de repère qu'il choisit au loin ; tantôt il marchait sur une colline toute hérissée de pics, tantôt sur un énorme glaçon que la pression avait soulevé au-dessus de la plaine.

A la première halte, après une quinzaine de milles, Penellan fit les préparatifs d'un campement. La tente fut adossée à un bloc de glace. Marie n'avait pas trop souffert de ce froid rigoureux, car, par bonheur, la brise s'étant calmée, il était beaucoup plus supportable ; mais, plusieurs fois, la jeune fille avait dû descendre de son traîneau pour empêcher que l'engourdissement n'arrêtât chez elle la circulation du sang. D'ailleurs, sa petite hutte, tapissée de peaux par les soins de Penellan, offrait tout le confort possible.

Quand la nuit, ou plutôt quand le moment du repos arriva, cette petite hutte fut transportée sous la tente, où elle servit de chambre à coucher à la jeune fille. Le repas du soir se composa de viande fraîche, de pemmican et de thé chaud. Jean Cornbutte, pour prévenir les funestes effets du scorbut, fit distribuer à tout son monde quelques gouttes de jus de citron. Puis, tous s'endormirent à la garde de Dieu.

Après huit heures de sommeil, chacun reprit son poste de marche. Un déjeuner substantiel fut fourni aux hommes et aux chiens, puis on partit. La glace, excessivement unie, permettait à ces animaux d'enlever le traîneau avec une grande facilité. Les hommes, quelquefois, avaient de la peine à le suivre.

Mais un mal dont plusieurs marins eurent bientôt à souffrir, ce fut l'éblouissement. Des ophtalmies se déclarèrent chez Aupic et Misonne. La lumière de la lune, frappant sur ces immenses plaines blanches, brûlait la vue et causait aux yeux une cuisson insupportable.

Il se produisait aussi un effet de réfraction excessivement curieux. En marchant, au moment où l'on croyait mettre le pied sur un monticule, on tombait plus bas, ce qui occasionnait souvent des chutes, heureusement sans gravité, et que Penellan tournait en plaisanteries. Néanmoins, il recommanda de ne jamais faire un pas sans sonder le sol avec le bâton ferré dont chacun était muni.

Vers le 1er novembre, dix jours après le départ, la caravane se trouvait à une cinquantaine de lieues dans le nord. La fatigue devenait extrême pour tout le monde. Jean Cornbutte éprouvait des éblouissements terribles, et sa vue s'altérait sensiblement. Aupic et Fidèle Misonne ne marchaient plus qu'en tâtonnant, car leurs yeux, bordés de rouge, semblaient brûlés par la réflexion blanche. Marie avait été préservée de ces accidents par suite de son séjour dans la hutte, qu'elle habitait le plus possible. Penellan, soutenu par un indomptable courage, résistait à toutes ces fatigues. Celui qui, au surplus, se portait le mieux et sur lequel ces douleurs, ce froid, cet éblouissement ne semblaient avoir aucune prise, c'était André Vasling. Son

corps de fer était fait à toutes ces fatigues ; il voyait alors avec plaisir le découragement gagner les plus robustes, et il prévoyait déjà le moment prochain où il faudrait revenir en arrière.

Or, le 1er novembre, par suite des fatigues, il devint indispensable de s'arrêter pendant un jour ou deux.

Dès que le lieu du campement fut choisi, on procéda à son installation. On résolut de construire une maison de neige, que l'on appuierait contre une des roches du promontoire. Fidèle Misonne en traça immédiatement les fondements, qui mesuraient quinze pieds de long sur cinq de large. Pénellan, Aupic, Misonne, à l'aide de leurs couteaux, découpèrent de vastes blocs de glace qu'ils apportèrent au lieu désigné, et ils les dressèrent, comme des maçons eussent fait de murailles en pierre. Bientôt la paroi du fond fut élevée à cinq pieds de hauteur avec une épaisseur à peu près égale, car les matériaux ne manquaient pas, et il importait que l'ouvrage fût assez solide pour durer quelques jours. Les quatre murailles furent terminées en huit heures à peu près ; une porte avait été ménagée du côté du sud, et la toile de la tente, qui fut posée sur ces quatre murailles, retomba du côté de la porte, qu'elle masqua. Il ne s'agissait plus que de recouvrir le tout de larges blocs, destinés à former le toit de cette construction éphémère.

Après trois heures d'un travail pénible, la maison fut achevée, et chacun s'y retira, en proie à la fatigue et au découragement. Jean Cornbutte souffrait au point de ne pouvoir faire un seul pas, et André Vasling exploita si bien sa douleur qu'il lui arracha la promesse de ne pas porter ses recherches plus avant dans ces affreuses solitudes.

Penellan ne savait plus à quel saint se vouer.

Il trouvait indigne et lâche d'abandonner ses compagnons sur des présomptions sans portée. Aussi cherchait-il à les détruire, mais ce fut en vain.

Cependant, quoique le retour eût été décidé, le repos était devenu si nécessaire que, pendant trois jours, on ne fit aucun préparatif de départ.

Le 4 novembre, Jean Cornbutte commença à faire enterrer sur un point de la côte les provisions qui ne lui étaient pas nécessaires. Une marque indiqua le dépôt, pour le cas improbable où de nouvelles explorations l'entraîneraient de ce côté. Tous les quatre jours de marche il avait laissé de semblables dépôts le long de sa route –, ce qui lui assurait des vivres pour le retour, sans qu'il eût la peine de les transporter sur son traîneau.

Le départ fut fixé à dix heures du matin, le 5 novembre. La tristesse la plus profonde s'était emparée de la petite troupe. Marie avait peine à retenir ses larmes, en voyant son oncle tout découragé. Tant de souffrances inutiles ! tant de travaux perdus ! Penellan, lui, devenait d'une humeur massacrante ; il donnait tout le monde au diable et ne cessait, à chaque occasion, de se fâcher contre la faiblesse et la lâcheté de ses compagnons, plus timides et plus fatigués, disait-il, que Marie, laquelle aurait été au bout du monde sans se plaindre.

André Vasling ne pouvait pas dissimuler le plaisir que lui causait cette détermination. Il se montra plus empressé que jamais près de la jeune fille, à laquelle il fit même espérer que de nouvelles recherches seraient entreprises après l'hiver, sachant bien qu'elles seraient alors trop tardives !

10

Enterrés vivants

La veille du départ, au moment du souper, Penellan était occupé à briser des caisses vides pour en fourrer les débris dans le poêle, quand il fut suffoqué tout à coup par une fumée épaisse. Au même moment, la maison de neige fut comme ébranlée par un tremblement de terre. Chacun poussa un cri de terreur, et Penellan se précipita au-dehors.

Il faisait une obscurité complète. Une tempête effroyable, car ce n'était pas un dégel, éclatait dans ces parages. Des tourbillons de neige s'abattaient avec une violence extrême, et le froid était tellement excessif que le timonier sentit ses mains se geler rapidement. Il fut obligé de rentrer, après s'être vivement frotté avec de la neige.

« Voici la tempête, dit-il. Fasse le Ciel que notre maison résiste, car si l'ouragan la détruisait, nous serions perdus ! »

En même temps que les rafales se déchaînaient dans l'air, un bruit effroyable se produisait sous le sol glacé ; les glaçons, brisés à la pointe du promontoire, se heurtaient avec fracas et se précipitaient les uns sur les autres ; le vent soufflait avec une telle force, qu'il semblait parfois que la maison entière se déplaçait ; des lueurs phosphorescentes, inexplicables sous ces latitudes, couraient à travers le tourbillon des neiges.

« Marie, Marie ! s'écria Penellan, en saisissant les mains de la jeune fille.

— Nous voilà mal pris ! dit Fidèle Misonne.

— Et je ne sais si nous en réchapperons !
répliqua Aupic.

— Quittons cette maison de neige ! dit André
Vasling.

— C'est impossible ! répondit Penellan. Le
froid est épouvantable au-dehors tandis que
nous pourrons peut-être le braver en demeurant
ici !

— Donnez-moi le thermomètre », dit André
Vasling.

Aupic lui passa l'instrument, qui marquait
dix degrés au-dessous de zéro, à l'intérieur,
bien que le feu fût allumé. André Vasling souleva la toile qui retombait devant l'ouverture et
le glissa au-dehors avec précipitation, car il eût
été meurtri par des éclats de glace que le vent
soulevait et qui se projetaient en une véritable
grêle.

« Eh bien, monsieur Vasling, dit Penellan,
voulez-vous encore sortir ? … Vous voyez bien

que c'est ici que nous sommes le plus en sûreté !

— Oui, ajouta Jean Cornbutte, et nous devons employer tous nos efforts à consolider intérieurement cette maison.

— Mais il est un danger, plus terrible encore, qui nous menace ! dit André Vasling.

— Lequel ? demanda Jean Cornbutte.

— C'est que le vent brise la glace sur laquelle nous reposons, comme il a brisé les glaçons du promontoire, et que nous soyons entraînés ou submergés !

— Cela me paraît difficile, répondit Penellan, car il gèle de manière à glacer toutes les surfaces liquides !… Voyons quelle est la température. »

Il souleva la toile de manière à ne passer que le bras, et eut quelque peine à retrouver le thermomètre, au milieu de la neige ; mais enfin il parvint à le saisir, et, l'approchant de la lampe, il dit :

« Trente-deux degrés au-dessous de zéro !

C'est le plus grand froid que nous ayons éprouvé jusqu'ici !

— Encore dix degrés, ajouta André Vasling, et le mercure gèlera ! »

Un morne silence suivit cette réflexion.

Vers huit heures du matin, Penellan essaya une seconde fois de sortir, pour juger de la situation. Il fallait, d'ailleurs, donner une issue à la fumée, que le vent avait plusieurs fois repoussée dans l'intérieur de la hutte. Le marin ferma très hermétiquement ses vêtements, assura son capuchon sur sa tête au moyen d'un mouchoir, et souleva la toile.

L'ouverture était entièrement obstruée par une neige résistante. Penellan prit son bâton ferré et parvint à l'enfoncer dans cette masse compacte ; mais la terreur glaça son sang, quand il sentit que l'extrémité de son bâton n'était pas libre et s'arrêtait sur un corps dur !

« Cornbutte ! dit-il au capitaine, qui s'était

approché de lui, nous sommes enterrés sous cette neige !

— Que dis-tu ? s'écria Jean Cornbutte.

— Je dis que la neige s'est amoncelée et glacée autour de nous et sur nous, que nous sommes ensevelis vivants !

— Essayons de repousser cette masse de neige », répondit le capitaine.

Les deux amis s'arc-boutèrent contre l'obstacle qui obstruait la porte, mais ils ne purent le déplacer. La neige formait un glaçon qui avait plus de cinq pieds d'épaisseur et ne faisait qu'un avec la maison.

Jean Cornbutte ne put retenir un cri, qui réveilla Misonne et André Vasling. Un juron éclata entre les dents de ce dernier, dont les traits se contractèrent.

En ce moment, une fumée plus épaisse que jamais reflua à l'intérieur, car elle ne pouvait trouver aucune issue.

« Malédiction ! s'écria Misonne. Le tuyau du poêle est bouché par la glace ! »

Penellan reprit son bâton et démonta le poêle, après avoir jeté de la neige sur les tisons pour les éteindre, ce qui produisit une fumée telle que l'on pouvait à peine apercevoir la lueur de la lampe ; puis il essaya, avec son bâton, de débarrasser l'orifice, mais il ne rencontra partout qu'un roc de glace !

Il ne fallait plus attendre qu'une fin affreuse, précédée d'une agonie terrible ! La fumée, s'introduisant dans la gorge des malheureux, y causait une douleur insoutenable, et l'air même ne devait pas tarder à leur manquer !

Marie se leva alors, et sa présence, qui désespérait Jean Cornbutte, rendit quelque courage à Penellan. Le timonier se dit que cette pauvre enfant ne pouvait être destinée à une mort aussi horrible !

« Eh bien ! dit la jeune fille, vous avez donc

fait trop de feu ? La chambre est pleine de fumée !

— Oui… oui… répondit le timonier en balbutiant.

— On le voit bien, reprit Marie, car il ne fait pas froid, et il y a longtemps même que nous n'avons éprouvé autant de chaleur ! »

Personne n'osa lui apprendre la vérité.

« Voyons, Marie, dit Penellan, en brusquant les choses, aide-nous à préparer le déjeuner. Il fait trop froid pour sortir. Voici le réchaud, voici l'esprit-de-vin, voici le café. Allons, vous autres, un peu de pemmican d'abord, puisque ce maudit temps nous empêche de chasser ! »

Ces paroles ranimèrent ses compagnons.

« Mangeons d'abord, ajouta Penellan, et nous verrons ensuite à sortir d'ici ! »

Penellan joignit l'exemple au conseil et dévora sa portion. Ses compagnons l'imitèrent et burent ensuite une tasse de café brûlant, ce qui leur remit un peu de courage au cœur ; puis, Jean Cornbutte décida, avec une grande énergie, que l'on allait tenter immédiatement les moyens de sauvetage.

Ce fut alors qu'André Vasling fit cette réflexion :

« Si la tempête dure encore, ce qui est probable, il faut que nous soyons ensevelis à dix pieds sous la glace, car on n'entend plus aucun bruit au-dehors ! »

Penellan regarda Marie, qui comprit la vérité, mais ne trembla pas.

Penellan fit d'abord rougir à la flamme de l'esprit-de-vin le bout de son bâton ferré, qu'il introduisit successivement dans les quatre murailles de glace, mais il ne trouva d'issue dans aucune. Jean Cornbutte résolut alors de creuser une ouverture dans la porte même. La glace était tellement dure que les coutelas l'entamaient difficilement. Les morceaux que l'on parvenait à extraire encombrèrent bientôt la hutte. Au bout de deux heures de ce travail pénible, la galerie creusée n'avait pas trois pieds de profondeur.

Il fallut donc imaginer un moyen plus rapide et qui fût moins susceptible d'ébranler la maison, car plus on avançait, plus la glace, devenant dure, nécessitait de violents efforts pour être entamée. Penellan eut l'idée de se servir du réchaud à esprit-de-vin pour fondre la glace dans la direction voulue. C'était un moyen hasardeux, car si l'emprisonnement venait à se prolonger, cet esprit-de-vin, dont les marins n'avaient qu'une petite quantité, leur ferait défaut au moment de préparer le repas. Néanmoins, ce projet obtint l'assentiment de tous, et il fut mis à exécution. On creusa préalablement un trou de trois pieds de profondeur sur un pied de diamètre pour recueillir l'eau qui proviendrait de la fonte de la glace, et l'on n'eut pas à se repentir de cette précaution, car l'eau suinta bientôt sous l'action du feu, que Penellan promenait à travers la masse de neige.

L'ouverture se creusa peu à peu, mais on ne pouvait continuer longtemps un tel genre de travail, car l'eau, se répandant sur les vêtements, les perçait de part en part. Penellan fut obligé de cesser au bout d'un quart d'heure et de retirer le réchaud pour se sécher lui-même. Misonne ne tarda pas à prendre sa place, et il n'y mit pas moins de courage.

Au bout de deux heures de travail, bien que la galerie eût déjà cinq pieds de profondeur, le bâton ferré ne put encore trouver d'issue au-dehors.

« Il n'est pas possible, dit Jean Cornbutte, que la neige soit tombée avec une telle abondance ! Il faut qu'elle ait été amoncelée par le vent sur ce point. Peut-être aurions-nous dû songer à nous échapper par un autre endroit ?

— Je ne sais, répondit Penellan ; mais, ne fût-ce que pour ne pas décourager nos compagnons, nous devons continuer à percer le mur dans le même sens. Il est impossible que nous ne trouvions pas une issue !

— L'esprit-de-vin ne manquera-t-il pas ? demanda le capitaine.

— J'espère que non, répondit Penellan, mais à la condition, cependant, que nous nous privions de café ou de boissons chaudes ! D'ailleurs, ce n'est pas là ce qui m'inquiète le plus.

— Qu'est-ce donc, Penellan ? demanda Jean Cornbutte.

— C'est que notre lampe va s'éteindre, faute d'huile, et que nous arrivons à la fin de nos vivres ! Enfin ! à la grâce de Dieu ! »

Puis, Penellan alla remplacer André Vasling,

qui travaillait avec énergie à la délivrance commune.

« Monsieur Vasling, lui dit-il, je vais prendre votre place, mais veillez bien, je vous en prie, à toute menace d'éboulement, pour que nous ayons le temps de la parer ! »

Le moment du repos était arrivé, et, lorsque Penellan eut encore creusé la galerie d'un pied, il revint se coucher près de ses compagnons.

11

Un Nuage de fumée

Le lendemain, quand les marins se réveillèrent, une obscurité complète les enveloppait. La lampe s'était éteinte. Jean Cornbutte réveilla Penellan pour lui demander le briquet, que celui-ci lui passa. Penellan se leva pour allumer le réchaud ; mais, en se levant, sa tête heurta contre le plafond de glace. Il fut épouvanté, car, la veille, il pouvait encore se tenir debout. Le réchaud allumé, à la lueur indécise de l'esprit-de-vin, il s'aperçut que le plafond avait baissé d'un pied.

Penellan se remit au travail avec rage.

En ce moment, la jeune fille, aux lueurs que

projetait le réchaud sur la figure du timonier, comprit que le désespoir et la volonté luttaient sur sa rude physionomie. Elle vint à lui, lui prit les mains, les serra avec tendresse. Penellan sentit le courage lui revenir.

« Elle ne peut pas mourir ainsi ! » s'écria-t-il.

Il reprit son réchaud et se mit de nouveau à ramper dans l'étroite ouverture. Là, d'une main vigoureuse, il enfonça son bâton ferré et ne sentit pas de résistance. Etait-il donc arrivé aux couches molles de la neige ? Il retira son bâton, et un rayon brillant se précipita dans la maison de glace.

« A moi, mes amis ! » s'écria-t-il.

Et, des pieds et des mains, il repoussa la neige, mais la surface extérieure n'était pas dégelée, ainsi qu'il l'avait cru. Avec le rayon de lumière, un froid violent pénétra dans la cabane et en saisit toutes les parties humides, qui se solidifièrent en un moment. Son coutelas aidant, Penellan agrandit l'ouverture et put enfin respirer au grand air. Il tomba à genoux pour remercier Dieu et fut bientôt rejoint par la jeune fille et ses compagnons.

Une lune magnifique éclairait l'atmosphère, dont les marins ne purent supporter le froid rigoureux. Ils rentrèrent, mais, auparavant, Penellan regarda autour de lui. Le promontoire n'était plus là, et la hutte se trouvait au milieu d'une immense plaine de glace. Penellan voulut se diriger du côté du traîneau, où étaient les provisions : le traîneau avait disparu !

La température l'obligea de rentrer. Il ne parla de rien à ses compagnons. Il fallait avant tout sécher les vêtements, ce qui fut fait avec le réchaud à esprit-de-vin. Le thermomètre, mis un instant à l'air, descendit à trente degrés au-dessous de zéro.

Au bout d'une heure, André Vasling et Penellan résolurent d'affronter l'atmosphère extérieure. Ils s'enveloppèrent dans leurs vêtements encore humides et sortirent par l'ouverture, dont les parois avaient déjà acquis la dureté du roc.

« Nous avons été entraînés dans le nord-est, dit André Vasling, en s'orientant sur les étoiles, qui brillaient d'un éclat extraordinaire.

— Il n'y aurait pas de mal, répondit Penellan, si notre traîneau nous eût accompagnés !

— Le traîneau n'est plus là ? s'écria André Vasling. Mais nous sommes perdus, alors !

— Cherchons », répondit Penellan.

Ils tournèrent autour de la hutte, qui formait un bloc de plus de quinze pieds de hauteur. Une immense quantité de neige était tombée pendant toute la durée de la tempête, et le vent l'avait accumulée contre la seule élévation que présentât la plaine. Le bloc entier avait été entraîné par le vent, au milieu des glaçons brisés, à plus de vingt-cinq milles au nord-est, et les prisonniers avaient subi le sort de leur prison flottante. Le traîneau, supporté par un autre glaçon, avait dérivé d'un autre côté, sans doute, car on n'en apercevait aucune trace, et les chiens avaient dû succomber dans cette effroyable tempête.

André Vasling et Penellan sentirent se glisser le désespoir dans leur âme. Ils n'osaient rentrer dans la maison de neige! Ils n'osaient annoncer cette fatale nouvelle à leurs compagnons d'infortune! Ils gravirent le bloc de glace même dans lequel se trouvait creusée la hutte et n'aperçurent rien que cette immensité blanche qui les entourait de toutes parts. Déjà le froid raidissait leurs membres, et l'humidité de leurs vêtements se transformait en glaçons qui pendaient autour d'eux.

Au moment où Penellan allait descendre le

monticule, il jeta un coup d'œil sur André Vasling. Il le vit tout à coup regarder avidement d'un côté, puis tressaillir et pâlir.

« Qu'avez-vous, monsieur Vasling ? lui demanda-t-il.

— Ce n'est rien ! répondit celui-ci. Descendons, et avisons à quitter au plus vite ces parages, que nous n'aurions jamais dû fouler ! »

Mais, au lieu d'obéir, Penellan remonta et porta ses yeux du côté qui avait attiré l'attention du second. Un effet bien différent se produisit en lui, car il poussa un cri de joie et s'écria :

« Dieu soit béni ! »

Une légère fumée s'élevait dans le nord-est. Il n'y avait pas à s'y tromper. Là respiraient des êtres animés. Les cris de joie de Penellan attirèrent ses compagnons, et tous purent se convaincre par leurs yeux que le timonier ne se trompait pas.

Aussitôt, sans s'inquiéter du manque de

vivres, sans songer à la rigueur de la température, enveloppés dans leurs capuchons, tous s'avancèrent à grands pas vers l'endroit signalé.

La fumée s'élevait dans le nord-est, et la petite troupe prit précipitamment cette direction. Le but à atteindre se trouvait à cinq ou six milles environ, et il devenait fort difficile de se diriger à coup sûr. La fumée avait disparu, et aucune élévation ne pouvait servir de point de repère, car la plaine de glace était entièrement unie. Il importait, cependant, de ne pas dévier de la ligne droite.

« Puisque nous ne pouvons nous guider sur des objets éloignés, dit Jean Cornbutte, voici le moyen à employer : Penellan va marcher en avant, Vasling à vingt pas derrière lui, moi à vingt pas derrière Vasling. Je pourrai juger alors si Penellan ne s'écarte pas de la ligne droite. »

La marche durait ainsi depuis une demi-
heure, quand Penellan s'arrêta soudain, prêtant
l'oreille.

Le groupe de marins le rejoignit :

« N'avez-vous rien entendu ? leur demanda-t-il.

— Rien, répondit Misonne.

— C'est singulier ! fit Penellan. Il m'a semblé que des cris venaient de ce côté.

— Des cris ? répondit la jeune fille. Nous serions donc bien près de notre but !

— Ce n'est pas une raison, répondit André Vasling. Sous ces latitudes élevées et par ces grands froids, le son porte à des distances extraordinaires.

— Quoi qu'il en soit, dit Jean Cornbutte, marchons, sous peine d'être gelés !

— Non ! fit Penellan. Ecoutez ! »

Quelques sons faibles, mais perceptibles cependant, se faisaient entendre. Ces cris paraissaient des cris de douleur et d'angoisse. Ils se renouvelèrent deux fois. On eût dit que quelqu'un appelait au secours. Puis tout retomba dans le silence.

« Je ne me suis pas trompé, dit Penellan. En avant ! »

Et il se mit à courir dans la direction de ces cris. Il fit ainsi deux milles environ, et sa stupéfaction fut grande, quand il aperçut un homme couché sur la glace. Il s'approcha de lui, le souleva et leva les bras au ciel avec désespoir.

André Vasling, qui le suivait de près avec le reste des matelots, accourut et s'écria :

— C'est un des naufragés ! C'est notre matelot Cortrois !

— Il est mort, répliqua Penellan, mort de froid ! »

Jean Cornbutte et Marie arrivèrent auprès du cadavre, que la glace avait déjà raidi. Le désespoir se peignit sur toutes les figures. Le mort était l'un des compagnons de Louis Cornbutte !

« En avant ! » s'écria Penellan.

Ils marchèrent encore pendant une demi-heure, sans mot dire, et ils aperçurent une élévation du sol, qui devait être certainement la terre.

« C'est l'île Shannon », dit Jean Cornbutte.

Au bout d'un mille, ils aperçurent distinctement une fumée qui s'échappait d'une hutte de neige fermée par une porte en bois. Ils poussèrent des cris. Deux hommes s'élancèrent hors de la hutte, et Penellan reconnut Pierre Nouquet.

« Pierre ! » s'écria-t-il.

Celui-ci demeurait comme un homme hébété, n'ayant pas conscience de ce qui se passait autour de lui. André Vasling regardait avec une inquiétude mêlée d'une joie cruelle le compagnon de Pierre Nouquet, car il ne reconnaissait pas Louis Cornbutte.

« Pierre ! C'est moi ! s'écria Penellan. Ce sont tous tes amis ! »

Pierre Nouquet revint à lui et tomba dans les bras de son vieux compagnon.

« Et mon fils ! Et Louis ! » cria Jean Cornbutte avec l'accent du plus profond désespoir.

12

Retour au navire

A ce moment, un homme, presque mou-
rant, sortant de la hutte, se traîna sur la glace.

C'était Louis Cornbutte.

« Mon fils !

— Mon fiancé ! »

Ces deux cris partirent en même temps, et
Louis Cornbutte tomba évanoui entre les bras
de son père et de la jeune fille, qui l'entraînè-
rent dans la hutte, où leurs soins le ranimèrent.

« Mon père ! Marie ! s'écria Louis Cornbutte.
Je vous aurai donc revus avant de mourir !

— Tu ne mourras pas ! répondit Penellan,
car tous tes amis sont près de toi ! »

Il fallait qu'André Vasling eût bien de la haine pour ne pas tendre la main à Louis Cornbutte ; mais il ne la tendit pas.

Pierre Nouquet ne se sentait pas de joie. Il embrassait tout le monde ; puis il jeta du bois dans le poêle, et bientôt une température supportable s'établit dans la cabane.

Là, il y avait encore deux hommes que ni Jean Cornbutte ni Penellan ne connaissaient.

C'étaient Jocki et Herming, les deux seuls matelots norvégiens qui restassent de l'équipage du *Froöern*.

« Mes amis, nous sommes donc sauvés ! dit Louis Cornbutte. Mon père ! Marie ! vous vous êtes exposés à tant de périls !

— Nous ne le regrettons pas, mon Louis, répondit Jean Cornbutte. Ton brick, *La Jeune-Hardie*, est solidement ancré dans les glaces à soixante lieues d'ici. Nous le rejoindrons tous ensemble.

— Quand Cortrois rentrera, dit Pierre Nouquet, il sera fameusement content tout de même ! »

Un triste silence suivit cette réflexion, et Penellan apprit à Pierre Nouquet et à Louis Cornbutte la mort de leur compagnon, que le froid avait tué.

« Mes amis, dit Penellan, nous attendrons ici que le froid diminue. Vous avez des vivres et du bois ?

— Oui, et nous brûlerons ce qui nous reste du *Froöern* ! »

Le *Froöern* avait été entraîné, en effet, à quarante milles de l'endroit où Louis Cornbutte hivernait. Là, il fut brisé par les glaçons qui flottaient au dégel, et les naufragés furent emportés, avec une partie des débris dont était construite leur cabane, sur le rivage méridional de l'île Shannon.

Les naufragés se trouvaient alors au nombre de cinq, Louis Cornbutte, Cortrois, Pierre

Nouquet, Jocki et Herming. Quant au reste de l'équipage norvégien, il avait été submergé avec la chaloupe au moment du naufrage.

Dès que Louis Cornbutte, entraîné dans les glaces, vit celles-ci se refermer autour de lui, il prit toutes les précautions pour passer l'hiver. C'était un homme énergique, d'une grande activité comme d'un grand courage ; mais, en dépit de sa fermeté, il avait été vaincu par ce climat horrible, et quand son père le retrouva, il ne s'attendait plus qu'à mourir. Il n'avait, d'ailleurs, pas à lutter seulement contre les éléments, mais contre le mauvais vouloir des deux matelots norvégiens, qui lui devaient la vie cependant. C'étaient deux sortes de sauvages, à peu près inaccessibles aux sentiments les plus naturels. Aussi, quand Louis Cornbutte eut occasion d'entretenir Penellan, il lui recommanda de s'en défier particulièrement. En retour, Penellan le mit au courant de la conduite d'André Vasling. Louis Cornbutte ne put y croire, mais Penellan lui prouva que, depuis sa disparition, André Vasling avait toujours agi de manière à s'assurer la main de la jeune fille.

Toute cette journée fut employée au repos et au plaisir de se revoir. Fidèle Misonne et Pierre Nouquet tuèrent quelques oiseaux de mer, près de la maison, dont il n'était pas prudent de s'écarter. Ces vivres frais et le feu qui fut activé rendirent de la force aux plus malades. Louis Cornbutte lui-même éprouva un mieux sensible. C'était le premier moment de plaisir qu'éprouvaient ces braves gens. Aussi le fêtèrent-ils avec entrain, dans cette misérable cabane, à six cents lieues dans les mers du Nord, par un froid de trente degrés au-dessous de zéro !

Cette température dura jusqu'à la fin de la lune, et ce ne fut que vers le 17 novembre, huit jours après leur réunion, que Jean Cornbutte et ses compagnons purent songer au départ. Ils n'avaient plus que la lueur des étoiles pour se guider, mais le froid était moins vif, et il tomba même un peu de neige.

Avant de quitter ce lieu, on creusa une tombe au pauvre Cortrois. Triste cérémonie, qui affecta vivement ses compagnons ! C'était le premier d'entre eux qui ne devait pas revoir son pays.

Misonne avait construit avec les planches de la cabane une sorte de traîneau destiné au transport des provisions, et les matelots le traînèrent tour à tour. Jean Cornbutte dirigea la marche par les chemins déjà parcourus. Les campements s'organisaient, à l'heure du repos, avec une grande promptitude. Jean Cornbutte espérait retrouver ses dépôts de provisions, qui devenaient presque indispensables avec ce surcroît de quatre personnes. Aussi chercha-t-il à ne pas s'écarter de sa route.

Par un bonheur providentiel, il fut remis en possession de son traîneau, qui s'était échoué près du promontoire où tous avaient couru tant de dangers. Les chiens, après avoir mangé leurs courroies pour satisfaire leur faim, s'étaient attaqués aux provisions du traîneau. C'était ce qui les avait retenus, et ce furent eux-mêmes qui guidèrent la troupe vers le traîneau, où les vivres étaient encore en grande quantité.

La petite troupe reprit sa route vers la baie d'hivernage. Les chiens furent attelés au traîneau, et aucun incident ne signala l'expédition.

On constata seulement qu'Aupic, André Vasling et les Norvégiens se tenaient à l'écart et ne se mêlaient pas à leurs compagnons ; mais, sans le savoir, ils étaient surveillés de près. Néanmoins, ce germe de dissension jeta plus d'une fois la terreur dans l'âme de Louis Cornbutte et de Penellan.

Vers le 7 décembre, vingt jours après leur

réunion, ils aperçurent la baie où hivernait *La Jeune-Hardie*. Quel fut leur étonnement en apercevant le brick juché à près de quatre mètres en l'air sur des blocs de glace ! Ils coururent, fort inquiets de leurs compagnons, et ils furent reçus avec des cris de joie par Gervique, Turquiette et Gradlin. Tous étaient en bonne santé, et cependant ils avaient couru, eux aussi, les plus grands dangers.

La tempête s'était fait ressentir dans toute la mer polaire. Les glaces avaient été brisées et déplacées, et, glissant les unes sous les autres, elles avaient saisi le lit sur lequel reposait le navire. Leur pesanteur spécifique tendant à les ramener au-dessus de l'eau, elles avaient acquis une puissance incalculable, et le brick s'était trouvé soudain élevé hors des limites de la mer.

Les premiers moments furent donnés à la joie du retour. Les marins de l'exploration se réjouissaient de trouver toutes les choses en bon état, ce qui leur assurait un hiver rude, sans doute, mais enfin supportable. L'exhaussement du navire ne l'avait pas ébranlé, et il était parfaitement solide. Lorsque la saison du dégel serait venue, il n'y aurait plus qu'à le faire glisser sur un plan incliné, à le lancer, en un mot, dans la mer redevenue libre.

Mais une mauvaise nouvelle assombrit le visage de Jean Cornbutte et de ses compagnons. Pendant la terrible bourrasque, le magasin de neige construit sur la côte avait été entièrement brisé; les vivres qu'il renfermait étaient dispersés, et il n'avait pas été possible d'en sauver la moindre partie. Dès que ce malheur leur fut appris, Jean et Louis Cornbutte visitèrent la cale et la cambuse du brick, pour savoir à quoi s'en tenir sur ce qui restait de provisions.

Le dégel ne devait arriver qu'avec le mois de mai, et le brick ne pouvait quitter la baie d'hivernage avant cette époque. C'était donc cinq mois d'hiver qu'il fallait passer au milieu des glaces, pendant lesquels quatorze personnes devaient être nourries. Calculs et comptes faits, Jean Cornbutte comprit qu'il atteindrait tout au plus le moment du départ, en mettant tout le monde à la demi-ration. La chasse devint donc obligatoire pour procurer de la nourriture en plus grande abondance.

De crainte que ce malheur ne se renouvelât, on résolut de ne plus déposer de provisions à terre. Tout demeura à bord du brick, et on disposa également des lits pour les nouveaux arrivants dans le logement commun des matelots. Turquiette, Gervique et Gradlin, pendant l'absence de leurs compagnons, avaient creusé un escalier dans la glace qui permettait d'arriver sans peine au pont du navire.

13

Les Deux Rivaux

André Vasling s'était pris d'amitié pour les deux matelots norvégiens. Aupic faisait aussi partie de leur bande, qui se tenait généralement à l'écart, désapprouvant hautement toutes les nouvelles mesures ; mais Louis Cornbutte, auquel son père avait remis le commandement du brick, redevenu maître à son bord, n'entendait pas raison sur ce chapitre-là, et, malgré les conseils de Marie, qui l'engageait à user de douceur, il fit savoir qu'il voulait être obéi en tous points.

Néanmoins, les deux Norvégiens parvinrent, deux jours après, à s'emparer d'une caisse de viande salée. Louis Cornbutte exigea qu'elle lui fût rendue sur-le-champ, mais Aupic prit fait et cause pour eux, et André Vasling fit même entendre que les mesures touchant la nourriture ne pouvaient durer plus longtemps.

Il n'y avait pas à prouver à ces malheureux que l'on agissait dans l'intérêt commun, car ils le savaient et ils ne cherchaient qu'un prétexte pour se révolter. Penellan s'avança vers les deux Norvégiens, qui tirèrent leurs coutelas; mais, secondé par Misonne et Turquiette, il parvint à les leur arracher des mains, et il reprit la caisse de viande salée. André Vasling et Aupic, voyant que l'affaire tournait contre eux, ne s'en mêlèrent aucunement. Néanmoins, Louis Cornbutte prit le second en particulier et lui dit :

« André Vasling, vous êtes un misérable. Je connais toute votre conduite, et je sais à quoi tendent vos menées; mais comme le salut de tout l'équipage m'est confié, si quelqu'un de vous songe à conspirer sa perte, je le poignarde de ma main !

— Louis Cornbutte, répondit le second, il vous est loisible de faire de l'autorité, mais rappelez-vous que l'obéissance hiérarchique n'existe plus ici, et que seul le plus fort fait la loi ! »

La jeune fille n'avait jamais tremblé devant les dangers des mers polaires, mais elle eut peur de cette haine dont elle était la cause, et l'énergie de Louis Cornbutte put à peine la rassurer.

Malgré cette déclaration de guerre, les repas se prirent aux mêmes heures et en commun. La chasse fournit encore quelques *ptarmigans* et quelques lièvres blancs ; mais avec les grands froids qui approchaient, cette ressource allait encore manquer. Ces froids commencèrent au solstice, le 22 décembre, jour auquel le thermomètre tomba à trente-cinq degrés au-dessous de zéro. Les hiverneurs éprouvèrent des douleurs dans les oreilles, dans le nez, dans toutes les extrémités du corps ; ils furent pris d'une torpeur mortelle, mêlée de maux de tête, et leur respiration devint de plus en plus difficile.

Dans cet état, ils n'avaient plus le courage de sortir pour chasser, ou pour prendre quelque exercice. Ils demeuraient accroupis autour du poêle, qui ne leur donnait qu'une chaleur insuffisante, et dès qu'ils s'en éloignaient un peu, ils sentaient leur sang se refroidir subitement.

Jean Cornbutte vit sa santé gravement compromise, et il ne pouvait déjà plus quitter son logement. Des symptômes prochains de scorbut se manifestèrent en lui, et ses jambes se couvrirent de taches blanchâtres. La jeune fille se portait bien et s'occupait de soigner les malades avec l'empressement d'une sœur de charité. Aussi tous ces braves marins la bénissaient-ils du fond du cœur.

Le 1er janvier fut l'un des plus tristes jours de l'hivernage. Le vent était violent, et le froid insupportable. On ne pouvait sortir sans s'exposer à être gelé. Les plus courageux devaient se borner à se promener sur le pont abrité par la tente. Jean Cornbutte, Gervique et Gradlin ne quittèrent pas leur lit. Les deux Norvégiens, Aupic et André Vasling, dont la santé se soutenait, jetaient des regards farouches sur leurs compagnons, qu'ils voyaient dépérir.

Louis Cornbutte emmena Penellan sur le pont et lui demanda où en étaient les provisions de combustible.

« Le charbon est épuisé depuis longtemps, répondit Penellan, et nous allons brûler nos derniers morceaux de bois !

— Si nous n'arrivons pas à combattre ce

froid, dit Louis Cornbutte, nous sommes perdus !

— Il nous reste un moyen, répliqua Penellan,
c'est de brûler ce que nous pourrons de notre
brick, depuis les bastingages jusqu'à la flottaison,
et même, au besoin, nous pouvons le démolir en
entier et reconstruire un plus petit navire.

— C'est un moyen extrême, répondit Louis
Cornbutte, et qu'il sera toujours temps d'employer quand nos hommes seront valides, car,
dit-il à voix basse, nos forces diminuent, et
celles de nos ennemis semblent augmenter.
C'est même assez extraordinaire !

— C'est vrai, fit Penellan, et sans la précaution que nous avons de veiller nuit et jour, je ne
sais ce qui nous arriverait.

— Prenons nos haches, dit Louis Cornbutte, et faisons notre récolte de bois. »

Malgré le froid, tous deux montèrent sur les
bastingages de l'avant, et ils abattirent tout le

bois qui n'était pas d'une indispensable utilité pour le navire. Puis ils revinrent avec cette provision nouvelle. Le poêle fut bourré de nouveau, et un homme resta de garde pour l'empêcher de s'éteindre.

Cependant Louis Cornbutte et ses amis furent bientôt sur les dents. Ils ne pouvaient confier aucun détail de la vie commune à leurs ennemis. Chargés de tous les soins domestiques, ils sentirent bientôt leurs forces s'épuiser. Le scorbut se déclara chez Jean Cornbutte, qui souffrit d'intolérables douleurs. Gervique et Gradlin commencèrent à être pris également. Sans la provision de jus de citron, dont ils étaient abondamment fournis, ces malheureux auraient promptement succombé à leurs souffrances. Aussi ne leur épargna-t-on pas ce remède souverain.

Mais un jour, le 15 janvier, lorsque Louis Cornbutte descendit à la cambuse pour renouveler ses provisions de citrons, il demeura stupéfait en voyant que les barils où ils étaient renfermés avaient disparu. Il remonta près de Penellan et lui fit part de ce nouveau malheur. Un vol avait été commis, et les auteurs étaient faciles à reconnaître. Louis Cornbutte comprit alors pourquoi la santé de ses ennemis se soutenait ! Les siens n'étaient plus en force maintenant pour leur arracher ces provisions, d'où dépendaient sa vie et celle de ses compagnons, et il demeura plongé, pour la première fois, dans un morne désespoir !

14

Détresse

Le 20 janvier, la plupart de ces infortunés ne se sentirent pas la force de quitter leur lit. Chacun d'eux, indépendamment de ses couvertures de laine, avait une peau de buffle qui le protégeait contre le froid ; mais, dès qu'il essayait de mettre le bras à l'air, il éprouvait une douleur telle qu'il lui fallait le rentrer aussitôt.

Cependant, Louis Cornbutte ayant allumé le poêle, Penellan, Misonne, André Vasling sortirent de leur lit et vinrent s'accroupir autour du feu. Penellan prépara du café brûlant, et leur rendit quelque force, ainsi qu'à Marie, qui vint partager leur repas.

Louis Cornbutte s'approcha du lit de son père, qui était presque sans mouvement et dont les jambes étaient brisées par la maladie. Le vieux marin murmurait quelques mots sans suite, qui déchiraient le cœur de son fils.

« Louis ! disait-il, je vais mourir !… Oh ! que je souffre !… Sauve-moi ! »

Louis Cornbutte prit une résolution décisive. Il revint vers le second et lui dit, en se contenant à peine :

« Savez-vous où sont les citrons, Vasling ?

— Dans la cambuse, je suppose, répondit le second sans se déranger.

— Vous savez bien qu'ils n'y sont plus, puisque vous les avez volés !

— Vous êtes le maître, Louis Cornbutte, répondit ironiquement André Vasling, et il vous est permis de tout dire et de tout faire !

— Par pitié, Vasling, mon père se meurt ! Vous pouvez le sauver ! Répondez !

— Je n'ai rien à répondre, répondit Vasling.

— Misérable ! s'écria Penellan en se jetant sur le second, son coutelas à la main.

— A moi, les miens ! » s'écria André Vasling en reculant.

Aupic et les deux matelots norvégiens sautèrent à bas de leur lit et se rangèrent derrière lui. Misonne, Turquiette, Penellan et Louis se préparèrent à se défendre. Pierre Nouquet et Gradlin, quoique bien souffrants, se levèrent pour les seconder.

« Vous êtes encore trop forts pour nous ! dit alors André Vasling. Nous ne voulons nous battre qu'à coup sûr ! »

Les marins étaient si affaiblis, qu'ils n'osèrent pas se précipiter sur ces quatre misérables, car, en cas d'échec, ils eussent été perdus.

« André Vasling, dit Louis Cornbutte d'une voix sombre, si mon père meurt, tu l'auras tué, et moi je te tuerai comme un chien ! »

André Vasling et ses complices se retirèrent à l'autre bout du logement et ne répondirent pas.

Il fallut alors renouveler la provision de bois, et, malgré le froid, Louis Cornbutte monta sur le pont et se mit à couper une partie des bastingages du brick, mais il fut forcé de rentrer au bout d'un quart d'heure car il risquait de tomber foudroyé par le froid. En passant, il jeta un coup d'œil sur le thermomètre extérieur et vit le mercure gelé. Le froid avait donc dépassé quarante-deux degrés au-dessous de zéro. Le temps était sec et clair, et le vent soufflait du nord.

Le 26, le vent changea, il vint du nord-est, et le thermomètre marqua extérieurement trente-cinq degrés. Jean Cornbutte était à l'agonie, et son fils avait cherché vainement quelque remède à ses douleurs. Ce jour-là, cependant, se jetant à l'improviste sur André Vasling, il parvint à lui arracher un citron que celui-ci s'apprêtait à sucer. André Vasling ne fit pas un pas pour le reprendre. Il semblait qu'il attendît l'occasion d'accomplir ses odieux projets.

Le jus de citron rendit quelque force à Jean Cornbutte, mais il aurait fallu continuer ce remède. La jeune fille alla supplier à genoux André Vasling, qui ne lui répondit pas, et Penellan entendit bientôt le misérable dire à ses compagnons :

« Le vieux est moribond ! Gervique, Gradlin et Pierre Nouquet ne valent guère mieux ! Les autres perdent leurs forces de jour en jour ! Le moment approche où leur vie nous appartiendra ! »

Il fut alors résolu entre Louis Cornbutte et ses compagnons de ne plus attendre et de profiter du peu de force qui leur restait. Ils résolurent d'agir dans la nuit suivante et de tuer ces misérables pour n'être pas tués par eux.

La température s'était élevée un peu. Louis Cornbutte se hasarda à sortir avec son fusil pour rapporter quelque gibier.

Il s'écarta d'environ trois milles du navire, et, souvent trompé par des effets de mirage ou de réfraction, il s'éloigna plus loin qu'il ne voulait. C'était imprudent, car des traces récentes d'animaux féroces se montraient sur le sol. Louis Cornbutte ne voulut cependant pas revenir sans rapporter quelque viande fraîche, et il continua sa route; mais il éprouvait alors un sentiment singulier, qui lui tournait la tête. C'était ce qu'on appelle le « vertige blanc ».

En effet, la réflexion des monticules de glace et de la plaine le saisissait de la tête aux pieds, et il lui semblait que cette couleur le pénétrait et lui causait un affadissement irrésistible. Son œil en était imprégné, son regard dévié. Il crut qu'il allait devenir fou de blancheur. Sans se rendre compte de cet effet terrible, il continua sa marche et ne tarda pas à faire lever un *ptarmigan*, qu'il poursuivit avec ardeur. L'oiseau tomba bientôt, et pour aller le prendre, Louis Cornbutte, sautant d'un glaçon sur la plaine, tomba lourdement, car il avait fait un saut de dix pieds, lorsque la réfraction lui faisait croire qu'il n'en avait que deux à franchir. Le vertige le saisit alors, et, sans savoir pourquoi, il se mit à appeler au secours pendant quelques minutes, bien qu'il ne se fût rien brisé dans sa chute. Le froid commençant à l'envahir, il revint au sentiment de conservation et se releva péniblement.

Soudain, sans qu'il pût s'en rendre compte, une odeur de graisse brûlée saisit son odorat. Comme il était sous le vent du navire, il supposa que cette odeur venait de là, et il ne comprit pas dans quel but on brûlait cette graisse, car c'était fort dangereux, puisque cette émanation pouvait attirer des bandes d'ours blancs.

Louis Cornbutte reprit donc le chemin du brick, en proie à une préoccupation qui, dans son esprit surexcité, dégénéra bientôt en terreur. Il lui sembla que des masses colossales se mouvaient à l'horizon, et il se demanda s'il n'y avait pas encore quelque tremblement de glaces. Plusieurs de ces masses s'interposèrent entre le navire et lui, et il lui parut qu'elles s'élevaient sur les flancs du brick. Il s'arrêta pour les considérer plus attentivement, et sa terreur fut extrême, quand il reconnut une bande d'ours gigantesques.

Ces animaux avaient été attirés par cette odeur de graisse qui avait surpris Louis Cornbutte. Celui-ci s'abrita derrière un monticule, et il en compta trois qui ne tardèrent pas à escalader les blocs de glace sur lesquels reposait *La Jeune-Hardie*.

Rien ne parut lui faire supposer que ce danger fût connu à l'intérieur du navire, et une terrible angoisse lui serra le cœur. Comment s'opposer à ces ennemis redoutables? André Vasling et ses compagnons se réuniraient-ils à tous les hommes du bord dans ce danger commun? Penellan et les autres, à demi privés de nourriture, engourdis par le froid, pourraient-ils résister à ces bêtes redoutables, qu'excitait une faim inassouvie? Ne seraient-ils pas surpris, d'ailleurs, par une attaque imprévue?

Louis Cornbutte fit en un instant ces réflexions. Les ours avaient gravi les glaçons et montaient à l'assaut du navire. Louis Cornbutte put alors quitter le bloc qui le protégeait, il s'approcha en rampant sur la glace, et bientôt il put voir les énormes animaux déchirer la tente avec leurs griffes et sauter sur le pont. Louis Cornbutte pensa à tirer un coup de fusil pour avertir ses compagnons; mais si ceux-ci montaient sans être armés, ils seraient inévitablement mis en pièces, et rien n'indiquait qu'ils eussent connaissance de ce nouveau danger !

15

Les Ours blancs

Après le départ de Louis Cornbutte, Penellan avait soigneusement fermé la porte du logement, qui s'ouvrait au bas de l'escalier du pont. Il revint près du poêle, qu'il se chargea de garder, pendant que ses compagnons regagnaient leur lit pour y trouver un peu de chaleur.

Il était alors six heures du soir, et Penellan se mit à préparer le souper. Il descendit à la cambuse pour chercher de la viande salée, qu'il voulait faire amollir dans l'eau bouillante. Quand il remonta, il trouva sa place prise par André Vasling, qui avait mis des morceaux de graisse à cuire dans la bassine.

« J'étais là avant vous, dit brusquement Penellan à André Vasling. Pourquoi avez-vous pris ma place ?

— Par la raison qui vous fait la réclamer, répondit André Vasling, parce que j'ai besoin de faire cuire mon souper !

— Vous enlèverez cela tout de suite, répliqua Penellan, ou nous verrons !

— Nous ne verrons rien, répondit André Vasling, et ce souper cuira malgré vous !

— Vous n'y goûterez donc pas ! » s'écria Penellan, en s'élançant sur André Vasling, qui saisit son coutelas, en s'écriant :

« A moi, les Norvégiens ! à moi, Aupic ! »

Ceux-ci, en un clin d'œil, furent sur pied, armés de pistolets et de poignards. Le coup était préparé.

Penellan se précipita sur André Vasling, qui s'était sans doute donné le rôle de le combattre tout seul, car ses compagnons coururent aux lits de Misonne, de Turquiette et de Pierre Nouquet. Ce dernier, sans défense, accablé par la maladie, était livré à la férocité d'Herming. Le charpentier, lui, saisit une hache, et, quittant son lit, il se jeta à la rencontre d'Aupic. Turquiette et le Norvégien Jocki luttaient avec acharnement. Gervique et Gradlin, en proie à d'atroces souffrances, n'avaient même pas conscience de ce qui se passait auprès d'eux.

Pierre Nouquet reçut bientôt un coup de poignard dans le côté, et Herming revint sur Penellan, qui se battait avec rage. André Vasling l'avait saisi à bras-le-corps.

Mais dès le commencement de la lutte, la bassine avait été renversée sur le fourneau, et la graisse, se répandant sur les charbons ardents, imprégnait l'atmosphère d'une odeur infecte. Marie se leva en poussant des cris de désespoir, et se précipita vers le lit où râlait le vieux Jean Cornbutte.

André Vasling, moins vigoureux que Penellan, sentit bientôt ses bras repoussés par ceux du timonier. Ils étaient trop près l'un de l'autre pour pouvoir faire usage de leurs armes. Le second, apercevant Herming, s'écria :

« A moi ! Herming !

— A moi ! Misonne ! » cria Penellan à son tour.

Mais Misonne se roulait à terre avec Aupic, qui cherchait à le percer de son coutelas. La hache du charpentier était une arme peu favorable à sa défense, car il ne pouvait la manœuvrer, et il avait toutes les peines du monde à parer les coups de poignard qu'Aupic lui portait.

Cependant, le sang coulait au milieu des rugissements et des cris. Turquiette, terrassé par Jocki, homme d'une force peu commune, avait reçu un coup de poignard à l'épaule, et il cherchait en vain à saisir un pistolet passé à la ceinture du Norvégien. Celui-ci l'étreignait comme dans un étau, et aucun mouvement ne lui était possible.

Au cri d'André Vasling, que Penellan acculait contre la porte d'entrée, Herming accourut. Au moment où il allait porter un coup de coutelas dans le dos du Breton, celui-ci d'un pied vigoureux l'étendit à terre. L'effort qu'il fit permit à André Vasling de dégager son bras droit des étreintes de Penellan ; mais la porte d'entrée, sur laquelle ils pesaient de tout leur poids, se défonça subitement, et André Vasling tomba à la renverse.

Soudain, un rugissement terrible éclata, et un ours gigantesque apparut sur les marches de l'escalier. André Vasling l'aperçut le premier. Il n'était pas à quatre pieds de lui. Au même moment, une détonation se fit entendre, et l'ours, blessé ou effrayé, rebroussa chemin. André Vasling, qui était parvenu à se relever, se mit à sa poursuite, abandonnant Penellan.

Le timonier replaça alors la porte défoncée et regarda autour de lui. Misonne et Turquiette, étroitement garrottés par leurs ennemis, avaient été jetés dans un coin et faisaient de vains efforts pour rompre leurs liens. Penellan se précipita à leur secours, mais il fut renversé par les deux Norvégiens et Aupic. Ses forces épuisées ne lui permirent pas de résister à ces trois hommes, qui l'attachèrent de façon à lui interdire tout mouvement. Puis, aux cris du second, ceux-ci s'élancèrent sur le pont, croyant avoir affaire à Louis Cornbutte.

Là, André Vasling se débattait contre un ours, auquel il avait porté déjà deux coups de poignard. L'animal, frappant l'air de ses pattes formidables, cherchait à atteindre André Vasling. Celui-ci, peu à peu acculé contre le bastingage, était perdu, quand une seconde détonation retentit. L'ours tomba. André Vasling leva la tête et aperçut Louis Cornbutte dans les enfléchures du mât de misaine, le fusil à la main. Louis Cornbutte avait visé l'ours au cœur, et l'ours était mort.

La haine domina la reconnaissance dans le cœur de Vasling ; mais, avant de la satisfaire, il regarda autour de lui. Aupic avait eu la tête brisée d'un coup de patte, et gisait sans vie sur le pont. Jocki, une hache à la main, parait, non sans peine, les coups que lui portait ce second ours, qui venait de tuer Aupic. L'animal avait reçu deux coups de poignard, et cependant il se battait avec acharnement. Un troisième ours se dirigeait vers l'avant du navire.

André Vasling ne s'en occupa donc pas, et, suivi d'Herming, il vint au secours de Jocki ; mais Jocki, saisi entre les pattes de l'ours, fut broyé, et quand l'animal tomba sous les coups d'André Vasling et d'Herming, qui déchargèrent sur lui leurs pistolets, il ne tenait plus qu'un cadavre entre ses pattes.

« Nous ne sommes plus que deux, dit André Vasling d'un air sombre et farouche ; mais si nous succombons, ce ne sera pas sans vengeance ! »

Herming rechargea son pistolet, sans répondre. Avant tout, il fallait se débarrasser du troisième ours. André Vasling regarda du côté de l'avant et ne le vit pas. En levant les yeux, il l'aperçut debout sur le bastingage et grimpant déjà aux enfléchures pour atteindre Louis Cornbutte. André Vasling laissa tomber son fusil, qu'il dirigeait sur l'animal, et une joie féroce se peignit dans ses yeux.

« Ah ! s'écria-t-il, tu me dois bien cette vengeance-là ! »

Cependant Louis Cornbutte s'était réfugié dans la hune de misaine. L'ours montait toujours, et il n'était plus qu'à six pieds de

Louis, quand celui-ci épaula son fusil et visa l'animal au cœur.

De son côté, André Vasling épaula le sien pour frapper Louis si l'ours tombait.

Louis Cornbutte tira, mais il ne parut pas que l'ours eût été touché, car il s'élança d'un bond sur la hune. Tout le mât en tressaillit.

André Vasling poussa un cri de joie.

« Herming ! cria-t-il au matelot norvégien, va me chercher Marie ! Va me chercher ma fiancée ! »

Herming descendit l'escalier du logement.

Cependant l'animal furieux s'était précipité sur Louis Cornbutte, qui chercha un abri de l'autre côté du mât ; mais au moment où sa patte énorme s'abattait pour lui briser la tête, Louis Cornbutte, saisissant l'un des galhaubans, se laissa glisser jusqu'à terre, non pas sans danger, car, à moitié chemin, une balle siffla à ses oreilles. André Vasling venait de tirer sur lui et l'avait manqué. Les deux adversaires se retrouvèrent donc en face l'un de l'autre, le coutelas à la main.

Ce combat devait être décisif. Pour assouvir pleinement sa vengeance, pour faire assister la jeune fille à la mort de son fiancé, André Vasling s'était privé du secours d'Herming. Il ne devait donc plus compter que sur lui-même.

Louis Cornbutte et André Vasling se saisirent chacun au collet, et se tinrent de façon à ne pouvoir plus reculer. Des deux l'un devait tomber mort. Ils se portèrent de violents coups, qu'ils ne parèrent qu'à demi, car le sang coula bientôt de part et d'autre. André Vasling cherchait à jeter son bras droit autour du cou de son adversaire pour le terrasser. Louis Cornbutte, sachant que celui qui tomberait était perdu, le prévint, et il parvint à le saisir des deux bras;

mais, dans ce mouvement, son poignard lui échappa de la main.

Des cris affreux arrivèrent en ce moment à son oreille. C'était la voix de Marie, qu'Herming voulait entraîner. La rage prit Louis Cornbutte au cœur ; il se raidit pour faire plier les reins d'André Vasling ; mais, à ce moment, les deux adversaires se sentirent saisis tous les deux dans une étreinte puissante.

L'ours, descendu de la hune de misaine, s'était précipité sur les deux hommes.

André Vasling était appuyé contre le corps de l'animal. Louis Cornbutte sentait les griffes du monstre lui entrer dans les chairs. L'ours les étreignait tous deux.

« A moi ! à moi, Herming ! put crier le second.

— A moi ! Penellan ! » s'écria Louis Cornbutte.

Des pas se firent entendre sur l'escalier. Penellan parut, arma son pistolet et le déchargea dans l'oreille de l'animal. Celui-ci poussa un rugissement. La douleur lui fit ouvrir un instant les pattes et Louis Cornbutte, épuisé, glissa sans mouvement sur le pont ; mais l'animal, les refermant avec force dans une suprême agonie, tomba en entraînant le misérable André Vasling, dont le cadavre fut broyé sous lui.

Penellan se précipita au secours de Louis Cornbutte. Aucune blessure grave ne mettait sa vie en danger, et le souffle seul lui avait manqué un moment.

« Marie !… dit-il en ouvrant les yeux.

— Sauvée ! répondit le timonier. Herming est étendu là, avec un coup de poignard au ventre !

— Et ces ours… ?

— Morts, Louis, morts comme nos ennemis ! Mais on peut dire que, sans ces bêtes-là, nous étions perdus ! Vraiment ! ils sont venus à notre secours ! Remercions donc la Providence ! »

Louis Cornbutte et Penellan descendirent dans le logement, et Marie se précipita dans leurs bras.

16

Conclusion

Herming, mortellement blessé, avait été transporté sur un lit par Misonne et Turquiette, qui étaient parvenus à briser leurs liens. Ce misérable râlait déjà, et les deux marins s'occupèrent de Pierre Nouquet, dont la blessure n'offrait heureusement pas de gravité.

Mais un plus grand malheur devait frapper Louis Cornbutte. Son père ne donnait plus aucun signe de vie. Etait-il mort avec l'anxiété de voir son fils livré à ses ennemis ? Avait-il succombé avant cette terrible scène ? On ne sait. Mais le pauvre vieux marin, brisé par la maladie, avait cessé de vivre !

A ce coup inattendu, Louis Cornbutte et Marie tombèrent dans un désespoir profond, puis ils s'agenouillèrent près du lit et pleurèrent en priant pour l'âme de Jean Cornbutte.

Penellan, Misonne et Turquiette les laissèrent seuls dans cette chambre et remontèrent sur le pont. Les cadavres des trois ours furent tirés à l'avant. Penellan résolut de garder leur fourrure, qui devait être d'une grande utilité, mais il ne pensa pas un seul moment à manger leur chair. D'ailleurs, le nombre des hommes à nourrir était bien diminué maintenant. Les cadavres d'André Vasling, d'Aupic et de Jocki, jetés dans une fosse creusée sur la côte, furent bientôt rejoints par celui d'Herming. Le Norvégien mourut dans la nuit sans repentir ni remords, l'écume de la rage à la bouche.

Les trois marins réparèrent la tente, qui, crevée en plusieurs endroits, laissait la neige tom-

ber sur le pont. La température était excessivement froide, et dura ainsi jusqu'au retour du
soleil, qui ne reparut au-dessus de l'horizon
que le 8 janvier.

Jean Cornbutte fut enseveli sur cette côte. Il
avait quitté son pays pour retrouver son fils, et
il était venu mourir sous ce climat affreux ! Sa
tombe fut creusée sur une hauteur, et les marins
y plantèrent une simple croix de bois.

Depuis ce jour, Louis Cornbutte et ses
compagnons passèrent encore par de cruelles
épreuves ; mais les citrons, qu'ils avaient re-
trouvés, leur rendirent la santé.

Gervique, Gradlin et Pierre Nouquet purent
se lever, une quinzaine de jours après ces terribles événements, et prendre un peu d'exercice.

Bientôt, la chasse devint plus facile et plus
abondante. Les oiseaux aquatiques revenaient
en grand nombre. On tua souvent une sorte de

canard sauvage, qui procura une nourriture excellente. Les chasseurs n'eurent à déplorer d'autre perte que celle de deux de leurs chiens, qu'ils perdirent dans une entreprise pour reconnaître, à vingt-cinq milles dans le sud, l'état de la plaine des glaces.

Le mois de février fut signalé par de violentes tempêtes et des neiges abondantes. La température moyenne fut encore de vingt-cinq degrés au-dessous de zéro, mais les hiverneurs n'en souffrirent pas, par comparaison. D'ailleurs, la vue du soleil, qui s'élevait de plus en plus au-dessus de l'horizon, les réjouissait, en leur annonçant la fin de leurs tourments. Il faut croire aussi que le Ciel eut pitié d'eux, car la chaleur fut précoce cette année. Dès le mois de mars, quelques corbeaux furent aperçus, voltigeant autour du navire. Louis Cornbutte captura des grues qui avaient poussé jusque-là leurs pérégrinations septentrionales.

Des bandes d'oies sauvages se laissèrent aussi entrevoir dans le sud.

Ce retour des oiseaux indiquait une diminution du froid. Cependant, il ne fallait pas trop s'y fier, car, avec un changement de vent, ou dans les nouvelles ou pleines lunes, la température s'abaissait subitement, et les marins étaient forcés de recourir à leurs précautions les plus grandes pour se prémunir contre elle. Ils avaient déjà brûlé tous les bastingages du navire pour se chauffer, les cloisons du rouf qu'ils n'habitaient pas, et une grande partie du faux pont. Il était donc temps que cet hivernage finît. Heureusement, la moyenne de mars ne fut pas de plus de seize degrés au-dessous de zéro. Marie s'occupa de préparer de nouveaux vêtements pour cette précoce saison de l'été.

Depuis l'équinoxe, le soleil s'était constamment maintenu au-dessus de l'horizon. Les huit mois de jour avaient commencé. Cette clarté perpétuelle et cette chaleur incessante, quoique excessivement faibles, ne tardèrent pas à agir sur les glaces.

Il fallait prendre de grandes précautions pour lancer *La Jeune-Hardie* du haut lit de glaçons qui l'entouraient. Le navire fut en conséquence solidement étayé, et il parut convenable d'attendre que les glaces fussent brisées par la débâcle ; mais les glaçons inférieurs, reposant dans une couche d'eau déjà plus chaude, se détachèrent peu à peu, et le brick redescendit insensiblement. Vers les premiers jours d'avril, il avait repris son niveau naturel.

Avec le mois d'avril vinrent des pluies torrentielles, qui, répandues à flots sur la plaine de glaces, hâtèrent encore sa décomposition. Le thermomètre remonta à dix degrés au-dessous de zéro. Quelques hommes ôtèrent leurs vêtements de peaux de phoque, et il ne fut plus nécessaire d'entretenir un poêle jour et nuit dans le logement. La provision d'esprit-de-vin, qui n'était pas épuisée, ne fut plus employée que pour la cuisson des aliments.

Bientôt, les glaces commencèrent à se briser avec de sourds craquements. Les crevasses se formaient avec une grande rapidité, et il devenait imprudent de s'avancer sur la plaine, sans un bâton pour sonder les passages, car des fissures serpentaient çà et là. Il arriva même que plusieurs marins tombèrent dans l'eau, mais ils en furent quittes pour un bain un peu froid.

Les phoques revinrent à cette époque, et on leur donna souvent la chasse, car leur graisse devait être utilisée.

La santé de tous demeurait excellente. Le temps était rempli par les préparatifs de départ et par les chasses. Louis Cornbutte allait souvent étudier les passes, et, d'après la configu-

ration de la côte méridionale, il résolut de tenter
le passage plus au sud. Déjà la débâcle s'était
produite dans différents endroits, et quelques

glaçons flottants se dirigeaient vers la haute
mer. Le 25 avril, le navire fut mis en état. Les
voiles, tirées de leur étui, étaient dans un par-

fait état de conservation, et ce fut une joie véritable pour les marins de les voir se balancer au souffle du vent. Le navire tressaillit, car il avait retrouvé sa ligne de flottaison, et quoiqu'il ne pût encore bouger, il reposait cependant dans son élément naturel.

Au mois de mai, le dégel se fit rapidement. La neige qui couvrait le rivage fondait de tous côtés et formait une boue épaisse, qui rendait la côte presque inabordable. Des petites bruyères, roses et pâles, se montraient timidement à travers les restes de neige et semblaient sourire à ce peu de chaleur. Le thermomètre remonta enfin au-dessus de zéro.

A vingt milles du navire, au sud, les glaçons, complètement détachés, voguaient alors vers l'océan Atlantique. Bien que la mer ne fût pas entièrement libre autour du navire, il s'établissait des passes dont Louis Cornbutte voulut profiter.

Le 21 mai, après une dernière visite au tombeau de son père, Louis Cornbutte abandonna enfin la baie d'hivernage. Le cœur de ces braves marins se remplit en même temps de joie et de tristesse, car on ne quitte pas sans regret les lieux où l'on a vu mourir un ami. Le vent soufflait du nord et favorisait le départ du brick. Souvent il fut arrêté par des bancs de glace, que l'on dut couper à la scie ; souvent des glaçons se dressèrent devant lui, et il fallut employer la mine pour les faire sauter. Pendant un mois encore, la navigation fut pleine de dangers, qui mirent souvent le navire à deux doigts de sa perte ; mais l'équipage était hardi et accoutumé à ces périlleuses manœuvres. Penellan, Pierre Nouquet, Turquiette, Fidèle Misonne, faisaient à eux seuls l'ouvrage de dix matelots, et Marie avait des sourires de reconnaissance pour chacun.

La Jeune-Hardie fut enfin délivrée des

glaces à la hauteur de l'île Jean-Mayen. Vers le 25 juin, le brick rencontra des navires qui se rendaient dans le Nord, pour la pêche des phoques et de la baleine. Il avait mis près d'un mois à sortir de la mer polaire.

Le 16 août, *La Jeune-Hardie* se trouvait en vue de Dunkerque. Elle avait été signalée par la vigie, et toute la population du port accourut sur la jetée. Les marins du brick tombèrent bientôt dans les bras de leurs amis. Le vieux curé reçut Louis Cornbutte et Marie sur son cœur, et, des deux messes qu'il dit les deux jours suivants, la première fut pour le repos de l'âme de Jean Cornbutte, et la seconde pour bénir ces deux fiancés, unis depuis si long-temps par le malheur.

TABLE

Conception graphique de la couverture :
Atelier JMLF

Illustration de couverture :
Jean-Marie Michaud

Illustrations intérieures :
Jean-Marie Poissenot

ISBN 2.01.392181.0

Dépôt légal n°6288, mai 1995

Imprimé en Italie par Canale.

Loi n°49 - 956 du 16 juillet 1949
sur les publications destinées à la jeunesse.